# ÉNERGIE 2

méthode de français eso

livre de l'élève

Santillana
FRANÇAIS

| | SITUATIONS DE COMMUNICATION<br>Compréhension - Expression | ACTES DE PAROLE | GRAMMAIRE EN SITUATION<br>Structures globales - Points de grammaire |
|---|---|---|---|
| **MODULE 1**<br><br>**L1** : p. 6-7<br>**L2** : p. 8-9<br>**L3** : p. 10-11<br>**L4** : p. 12-13<br>**L5** : p. 14-15 | L1 : « Communiquer en classe »<br>(phrases et expressions)<br>L2 : « Où est passée Gigi ? » (dialogue)<br>« Ma chambre, mon univers »<br>(description)<br>L3 : « Vive le temps libre ! » (interview)<br>« Tous différents » (dessins)<br>« Le rendez-vous » (dialogue) | Communiquer en classe :<br>demander la permission,<br>demander de faire quelque<br>chose<br>Présenter et décrire sa chambre<br>Situer quelque chose<br>Parler de ses activités, de ses<br>passe-temps<br>Prendre rendez-vous | Verbes *pouvoir / vouloir* (présent) + infinitif<br>L'interrogation : *est-ce que*, inversion, intonat<br>Prépositions de lieu + articles contractés : *prè*<br>côté / en face... du*<br>*jouer au / du*<br>*faire du*<br>Articles contractés<br>*Moi aussi / Moi non plus*<br>Révision de la forme négative *(pas de)*<br>*Il y a... / Il n'y a pas de...* |
| **MODULE 2**<br><br>**L1** : p. 16-17<br>**L2** : p. 18-19<br>**L3** : p. 20-21<br>**L4** : p. 22-23<br>**L5** : p. 24-25 | L1 : « Ici *Radio Frisson* » (émission de radio)<br>« Minuit » (récit oral)<br>L2 : « Théo et les racketteurs » (récit)<br>L3 : « Club nocturne *La lune rouge* » (texte<br>descriptif)<br>« Méli-Mélo... » (dialogue) | Exprimer ce que l'on ressent<br>(sensations / émotions)<br>Parler de ce que l'on va faire<br>dans l'immédiat<br>Raconter des événements<br>passés (1)<br>Indiquer et demander à qui<br>appartient un objet | *Avoir faim / soif / peur*<br>*Avoir envie de* + infinitif<br>*Avoir besoin de* + infinitif<br>Futur proche<br>Passé composé avec *être* et *avoir*<br>Participes passés en *-é, -i, -u*<br>Adjectifs démonstratifs |
| **MODULE 3**<br><br>**L1** : p. 26-27<br>**L2** : p. 28-29<br>**L3** : p. 30-31<br>**L4** : p. 32-33<br>**L5** : p. 34-35 | L1 : « La maison au milieu des bois »<br>(chanson)<br>« Le matin » (sondage)<br>L2 : « Une soirée chez Natacha » (dialogues)<br>« Johnny et Natacha : la rupture ? »<br>(article de revue)<br>« Bonjour, mon amour » (conversation<br>téléphonique)<br>L3 : « À l'école, ça bouge ! » (affiche,<br>informations) | Parler de sa maison, de son<br>appartement<br>Raconter des événements<br>passés (2)<br>S'informer sur les habitudes<br>quotidiennes de quelqu'un<br>Parler de ses habitudes<br>quotidiennes<br>Raconter des projets réalisés au<br>collège | Passé composé à la forme négative<br>Passé composé avec *être* et *avoir*<br>Verbes pronominaux au passé composé<br>Adjectifs possessifs (plusieurs possesseurs) |
| **MODULE 4**<br><br>**L1** : p. 36-37<br>**L2** : p. 38-39<br>**L3** : p. 40-41<br>**L4** : p. 42-43<br>**L5** : p. 44-45 | L1 : « Le sais-tu ? » (reportage,<br>informations)<br>« Drôles d'animaux » (quiz)<br>L2 : « Ton look au collège » (conversations<br>entre jeunes)<br>L3 : « Pour ou contre ? » (débats<br>d'actualité) | Faire des comparaisons<br>Faire des appréciations sur des<br>vêtements<br>Décrire le look de quelqu'un<br>Donner son opinion<br>Demander son avis à quelqu'un<br>Argumenter<br>Expliquer ce qu'est... | Comparatif et superlatif<br>*Autant que, autant de*<br>*Moins / Plus que* ; *le plus / le moins*<br>Pronoms personnels COD : *le, la, les*<br>La négation : *ne ... rien / ne ... personne /*<br>*ne ... jamais / ne ... plus*<br>*Il y en a qui...* |
| **MODULE 5**<br><br>**L1** : p. 46-47<br>**L2** : p. 48-49<br>**L3** : p. 50-51<br>**L4** : p. 52-53<br>**L5** : p. 54-55 | L1 : « Claudette et son tableau » (situation)<br>« Rendez-vous sur le chat » (dialogue<br>sur Internet)<br>L2 : « Aujourd'hui, on fait des courses »<br>(dialogues)<br>L3 : « En ville » (conversation téléphonique,<br>jeux d'orientation) | Faire des prévisions (au futur)<br>Interroger un(e) client(e) sur ce<br>qu'il / elle veut acheter<br>Faire des listes d'achat<br>Dire et demander son chemin<br>Indiquer d'où l'on vient | Futur simple des verbes réguliers<br>Futur simple de quelques verbes irréguliers<br>Pronom *en*<br>*Venir du / de la / de l' / des*<br>*Aller en / à* + moyen de transport<br>*Je voudrais...* (politesse)<br>*Pour* + infinitif<br>*Il faut* + infinitif |
| **MODULE 6**<br><br>**L1** : p. 56-57<br>**L2** : p. 58-59<br>**L3** : p. 60-61<br>**L4** : p. 62-63<br>**L5** : p. 64-65 | L1 : « Au restaurant » (dialogues)<br>L2 : « Ils sont tous suspects ! » (BD)<br>L3 : « Espions en hiver » (récit) | Faire une commande dans un<br>restaurant<br>Choisir un menu<br>Donner le cadre d'un récit<br>Raconter des événements<br>passés (3) | **Rebrassage :**<br>Présent, passé, futur<br>Négation (formes verbales et adverbes)<br>Pronoms personnels<br>**Nouvelles acquisitions :**<br>*Je voudrais...*<br>Impératif + pronoms personnels COD<br>Pronoms personnels COI<br>Cadre de l'action<br>*C'était, il y avait* |

**Évaluation :** Livre L5 « Vérifie tes progrès » : a) Bilan de lecture silencieuse et à haute voix (BD) b) Bilan d'expression orale (Bilan oral) - Cahier : Test

**Techniques d'apprentissage :** Module de sensibilisation : « Pour commencer... » - Cahier : M 1 : « Mieux comprendre un enregistrement (1) » ;
M 4 : « Mieux comprendre les erreurs » ; M 5 : « Parler plus facilement » ; M 6 : « Mieux écrire » – Cahier : dans tous les modules, jeux de logique

**Culture et thèmes transversaux :** Livre M 1 : les écoles dans le monde, éducation pour tous, égalité des sexes, cinéma et littérature, jeux de logique
M 3 : géographie des pays francophones, la vie au Bénin, la vie en Bretagne, différentes manières de vivre, solidarité à l'école ; M 4 : poètes français
croyances, orientation dans l'espace, alimentation saine ; M 6 : traditions culinaires, vulgarisation scientifique, science-fiction, anatomie humaine

| ...IQUE | PHONÉTIQUE | LECTURE | PROJETS | DIVERSITÉ COLLECTIVE | Diversité |
|---|---|---|---|---|---|
| ...ressions pour ...mmuniquer en ...asse ...ituation dans ...space : *près de, ...côté de…* ...chambre : meubles ...objets ...ivités et loisirs | J'ENTENDS    J'ÉCRIS<br>[ ʃ ]    ch<br>[ ʒ ]    j, g(e), g(i)<br>[ y ]    u<br>[ i ]    i, y<br>[ u ]    ou | Livre L4 : Doc Lecture « Aller à l'école, ce n'est pas toujours facile » (informations internationales)<br>Livre L5 : BD « Joyeux anniversaire ! »<br>Cahier L4 : Doc Lecture « Tout sur Daniel Alan Radcliffe » | Livre L4 « Copains collages » (expression écrite et orale ; élaboration de petits textes à partir de photos)<br>Livre L2 : @ Décrire sa chambre | Livre L3 : « Vive le temps libre ! » (compréhension orale)<br>Livre L4 : « Aller à l'école, ce n'est pas toujours facile » (lexique) | |
| ...sations ...es dits « de ...ouvement » ...elques vêtements | J'ENTENDS    J'ÉCRIS<br>[ f ]    f, ph<br>[ v ]    v<br>[ e ]    é, er, es, ez<br>[ ɛ ]    è, ert, e(tte), e(c), ai<br>[ ə ]    je, te, me, le, ce | Livre L4 : Doc Lecture « Conseils pour la lecture » (texte prescriptif)<br>Livre L5 : BD « Moi, l'hypnose… »<br>Cahier L4 : Doc Lecture « Vote pour changer le monde » (questionnaire) | Livre L4 : « Concours *Textes frissons* » (récits collectifs, expression écrite et orale, lecture à haute voix et interprétation)<br>Livre L4 : @ Envoyer son « Texte frisson » | Livre L1 : « Très occupée » (chanson)<br>Livre L2 : « Les verbes qui se conjuguent au passé avec l'auxiliaire *être* » (grammaire) | |
| ...ille (révision) ...ces de la maison ...ions quotidiennes ...elques meubles ...fessions | J'ENTENDS    J'ÉCRIS<br>[ b ]    b<br>[ p ]    p<br>[ ɔ̃ ]    on, om<br>[ o ]    o, au, eau | Livre L4 : Doc Lecture « D'un bout à l'autre de la planète » (témoignagnes)<br>Livre L5 : BD « Vacances chez Mamie et Papi »<br>Cahier L4 : Doc Lecture « La vie en face » (reportage) | Livre L4 : « Texte-puzzle » (élaboration en groupes d'un récit, lecture à haute voix)<br>Livre L3 : @ Raconter un projet d'école original ou solidaire | Livre L1 : « Les habitudes de votre famille » (sondage, expression écrite, expression orale)<br>Livre L4 : Doc Lecture « D'un bout à l'autre de la planète » (compréhension écrite, lecture d'images) | |
| ...ements ...préciations sur les ...tements ...abulaire de ...opinion et de ...argumentation | J'ENTENDS    J'ÉCRIS<br>[ ɛ̃ ]    in, im, ain, aim<br>[ ɑ̃ ]    an, am, en, em<br>[ ɔ̃ ]    on, om<br>[ k ]    k, c, qu(e, i)<br>[ g ]    g(a, o, r), gu(e, i)<br>[ d ]    d<br>[ t ]    t | Livre L4 : Doc Lecture « Calligrammes » (portrait d'Apollinaire et poèmes calligrammes de Max Jacob et d'Apollinaire)<br>Livre L5 : BD « Qu'est-ce qu'elle a, ma casquette ? »<br>Cahier L4 : Doc Lecture « Autour du monde » (lecture de l'image, informations) | Livre L4 : « Calligrammes » (création en groupes de calligrammes originaux)<br>Livre L4 : @ Envoyer le calligramme à son / sa correspondant(e) | Livre L1 : « Informations insolites » (expression écrite)<br>Livre L3 : « Organisation d'un débat » (débat en classe) | |
| ...ms de magasins et ...e commerçants ...ville ...its, légumes, ...roduits de ...onsommation ...yens de transport | J'ENTENDS    J'ÉCRIS<br>[ st ]    st<br>[ sp ]    sp<br>[ sk ]    sk, sc(o, u)<br>[ ø ]    eu<br>[ œ ]    eu(r), œu(r)<br>[ ɔ ]    o | Livre L4 : Doc Lecture « Bienvenue en Avignon » (informations)<br>Livre L5 : BD « On fait des crêpes ? »<br>Cahier L4 : Doc Lecture « Le mystère de la chambre jaune » (pub, annonce) | Livre L4 : « Venez chez nous » (itinéraire dans une ville ; expression écrite et orale en groupes)<br>Livre L4 : @ Envoyer le programme à son / sa correspondant(e) | Livre L3 : « Jeux d'orientation »<br>Livre L5 : « Aide-mémoire » (évaluation) | |
| ...ms de plats ...verbes de temps ...mportements ...abituels | J'ENTENDS    J'ÉCRIS<br>[ s ]    ç, c, s, ss, sc, t(ion), ç(a, u), c(e, i)<br>[ z ]    s, z<br>[ ɛj ]    eille, eil<br>[ uj ]    ouille<br>[ aj ]    aille, ail<br>[ œj ]    œil, euille, euil | Livre L4 : Doc Lecture « Taille, poids, attention aux idées fausses. La preuve par quatre » (test)<br>Livre L5 : BD « Les Wims »<br>Cahier L4 : Doc Lecture « 10 idées spécial cadeau » (texte prescriptif) | Livre L4 : « Es-tu un as du français ? » (concours de connaissances, expression écrite et orale)<br>Livre L4 : @ Préparer un test pour son / sa correspondant(e) | Livre L3 : « Pour bien prononcer » (phonétique)<br>Livre L5 : BD « Les Wims » (expression écrite) | |

...mpréhension orale ; Expression écrite et grammaire (Bilan écrit) ; Auto-évaluation

... : « Mieux comprendre un enregistrement (2) » ; M 3 : « Avoir une mémoire d'éléphant »

... : éducation pour la paix dans le monde : associations pour la paix, contre la violence à l'école, valeurs de solidarité ;
... siècle, débats d'aujourd'hui, regards critiques sur la publicité, créativité ; M 5 : géographie et histoire d'Avignon, cinéma et littérature, société,

# Pour commencer...

**1 Écoute ces phrases.** À quelles illustrations correspondent-elles ?

**a)** Il est toujours dans les nuages.
**b)** Elle a oublié ses baskets au gymnase.
**c)** Il efface les cœurs sur le mur.
**d)** Elle enlève son nez rouge.
**e)** Il apprend à marcher.
**f)** Il dessine une étoile sur le sable.
**g)** Elle caresse son chat gris.
**h)** La marée noire !!! quelle horreur !!!
**i)** Il ne supporte pas la lumière du soleil.
**j)** Elle se lève très tôt.

**2 Fais d'autres phrases à l'aide de la boîte à mots.**
*Exemple : Elle dessine un cœur sur le sable.*

**3 Écoute cette musique et imagine.**
Qu'est-ce que tu vois ?

**4 Écoute cette histoire et réponds.**
**a)** De qui on parle ?
**b)** Imagine Rhanya : Comment est elle ?
En quoi elle est magique ? Qu'est-ce qu'il
faut faire pour la voir ? À quel moment ?
**c)** Combien de fois penses-tu avoir entendu
le prénom « Rhanya » ?
**d)** Quelles sont les autres manières de se
référer à Rhanya ?

## Boîte à mots

les étoiles
les marées
le soleil
le cœur
la lumière
le matin très tôt
les nuages
caresser
les chaussures
le sable
enlever
marcher

**5 Écoute et lis le texte pour vérifier.**

Elle a 20 ans, elle a 100 ans, elle a 1000 ans, elle n'a pas d'âge.

Elle habite sur une étoile dans une autre galaxie.

Elle s'appelle Rhanya.

Rhanya, la fille du Soleil et de la Lune.

Elle est unique, elle est magique.

Le matin, elle a des cheveux blonds

Et des yeux dorés, pleins de lumière.

Elle chante, elle danse, elle rit

Et son rire cristallin

Caresse le cœur des gens gris.

Le soir, ses cheveux sont noirs comme un ciel sans étoiles

Et ses yeux, sombres et profonds comme l'océan.

Sur son lit de nuages, elle rêve...

Elle s'amuse avec le vent et les marées.

Elle est unique, elle est magique.

C'est Rhanya, la fille du Soleil et de la Lune.

Si tu veux la voir, le matin très, très tôt

Ou le soir quand la Lune est pleine,

Enlève tes chaussures,

Marche sur l'herbe verte,

Marche sur le sable blond,

Ouvre tes bras et crie trois fois son nom :

Rhanya, Rhanya, Rhanya !!!

 **6  Lecture collective à haute voix.** Imaginez des effets pour créer une atmosphère en vous appuyant sur la musique de fond.

**7  Imaginez un autre personnage magique.** Comment il / elle s'appelle ? Où il / elle habite ? Qu'est-ce qu'il / elle fait ? ...

# Communiquer en classe

**Est-ce que vous avez votre matériel ?**

**Vous pouvez m'aider ?**

**Je ne comprends pas l'exercice nº 3, vous pouvez me l'expliquer ?**

**Nous voulons jouer la scène !**

**Qui peut expliquer cette règle à toute la classe ?**

**Êtes-vous prêts ?**

**Martine et Jean, vous voulez lire votre dialogue, s'il vous plaît ?**

**Antoine, tu veux me montrer ton cahier, s'il te plaît ?**

**Qui veut passer au tableau ?**

**Je peux t'aider ?**

**Nous pouvons nous asseoir deux par deux ?**

 ## Écoute, observe, analyse

**L'INTERROGATION**

**A** À partir des exemples suivants, explique comment fonctionne l'interrogation.

Tu es content ?
Es-tu content ?
Est-ce que tu es content ?

Vous êtes prêts ?
Êtes-vous prêts ?
Est-ce que vous êtes prêts ?

Vous avez compris ?
Avez-vous compris ?
Est-ce que vous avez compris ?

 **B** Écoute et pose les questions d'une autre manière.

## Pour bien prononcer

*Gégeh, un jeune chameau qui fait du solfège au collège, joue à cache-cache avec Gipsy la jolie vache.*

| | J'ENTENDS | J'ÉCRIS |
|---|---|---|
| | [ ʃ ] | ch (chameau) |
| | | j (jeune) |
| | [ ʒ ] | g(e) (solfège) |
| | | g(i) (Gipsy) |

Les personnes qui veulent utiliser l'ordinateur peuvent l'utiliser de 13 h à 14 h 30.

Vous pouvez parler les uns après les autres ?

Vous pouvez éteindre ce portable ?

Est-ce que vous voulez vous taire, s'il vous plaît ?

Vous pouvez travailler en groupes mais, si vous voulez, vous travaillez individuellement.

Qui est-ce qui veut représenter la poésie ?

Je peux aller chercher un dictionnaire dans mon casier ?

Vous avez compris ?

Est-ce que je peux ouvrir la fenêtre, s'il vous plaît ?

**1 Écoute ces phrases.** Qui parle ? Quelles phrases tu entends souvent dans ta classe ?

**2 Lis ces phrases sur des tons différents.**

| Verbe « pouvoir » | | Verbe « vouloir » | |
|---|---|---|---|
| je | **peux** | je | **veux** |
| tu | **peux** | tu | **veux** |
| il / elle / on | **peut** | il / elle / on | **veut** |
| nous | **pouvons** | nous | **voulons** |
| vous | **pouvez** | vous | **voulez** |
| ils / elles | **peuvent** | ils / elles | **veulent** |

**Quelles similitudes y a-t-il entre ces 2 verbes ?**

**3 Que pouvez-vous faire en cours de maths, de gym, de français… ?** Et qu'est-ce que vous ne pouvez pas faire ?

# Où est passée Gigi ?

**1** **Où est-ce qu'ils cherchent Gigi, la souris ?** Où est-elle finalement ?
Écoute le dialogue et indique l'ordre des dessins.

**a)** sous le lit

**b)** à l'intérieur d'une chaussette

**c)** au-dessus de l'armoire

**d)** à gauche de la lampe

**e)** à côté de la table, dans la corbeille à papier

**2** **Lis le dialogue et imite les intonations.**

- Papa, papa, je ne trouve pas Gigi !!!
- Ne pleure pas... on va la chercher ! Je crois qu'elle est sous ton lit... Eh bien, non.
- Elle est peut-être au-dessus de l'armoire...
- Non plus... Et à côté de la table, dans la corbeille à papier ? Noooon ?
- Elle s'est peut-être cachée dans la boîte qui est à gauche de la lampe ?
- Non ! Mais où est-elle ? Tu as cherché dans le meuble, là, en face de la porte ? Elle n'est pas là non plus ? C'est pas possible, ça !!! Elle est bien quelque part !!!
- Chuuut ! papa, je l'ai trouvée, elle dort ! Elle est là ! Au fond du tiroir de la commode ! Regarde, elle est à l'intérieur d'une chaussette !!!

**f)** au fond du tiroir

**g)** en face de la porte

**3** **Jeu : « C'est chaud ! C'est froid ! »**

Quelqu'un cache un objet.

- Où se trouve-t-il ?
- Il est à côté du tableau ?
- Non ! c'est froid !
- Il est au milieu des livres ?
- Non ! mais c'est chaud !

## Observe et analyse

**LES PRÉPOSITIONS DE LIEU AVEC *DE***

**Où est-elle ?**

Elle est à côté **de** Paul.       au milieu **des** papiers.
près **du** mur.          en dessous **de la** lampe.
loin **de l'**entrée.       au-dessus **du** lit.

Observe la relation : *de* + article défini.

**A** À quoi correspondent *du* et *des* ?

**B** Dans quels cas les articles ne sont pas contractés ?

# Ma chambre, mon univers

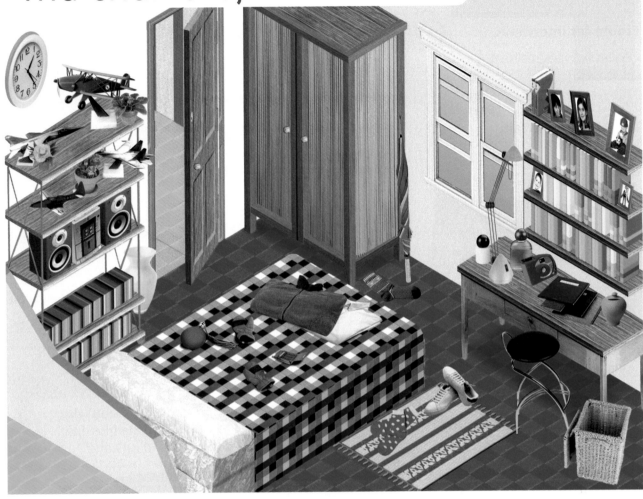

**4** Écoute et lis la description que Lola fait de sa chambre, puis détecte 4 différences par rapport à l'illustration.

Voilà ! Ça, c'est ma chambre ! Elle est petite mais j'y suis bien. *C'est le seul endroit de la maison où* je me sens libre. *Je peux* écouter de la musique à fond, je peux rester des heures sur mon lit à rêver…
*Quand on ouvre la porte, la première chose qu'on voit c'est* mon lit, plein de coussins et de peluches. À droite, *il y a* des étagères avec toute ma collection de coquillages et de bouteilles de sable. *Il y a aussi* des maquettes de bateaux à voile, ma chaîne HI-FI et mes CD… Derrière la porte, il y a mon armoire. Elle est un peu mal placée : pour l'ouvrir, il faut que je ferme la porte de la chambre. Mon bureau est placé juste à côté de la fenêtre. Il y a 3 étagères au-dessus, remplies de livres et de mes photos préférées.
J'adore ma chambre mais *ce que je préfère, c'est* la vue de ma fenêtre sur le ciel. *C'est comme* un grand tableau *qui* change selon les heures et les saisons…

Décris ta chambre à ton / ta correspondant(e). Utilise les mots et les expressions en italique.

## La vie au temps d'Internet !

« Chère Sylvie, comment vas-tu ? Ta mère et moi allons bien, tu nous manques. S'il te plaît, ferme ton ordinateur et descends à la cuisine, on t'attend pour souper. Je t'aime. Ton père. »

# Vive le temps libre !

 **Écoute ces interviews.**

Quelles activités réalisent ces jeunes ?

 **Diversité**

**2** **Qu'est-ce que tu fais le week-end ?**

Écoute et réponds.

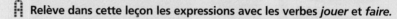

## Observe et analyse

**LES VERBES *JOUER* ET *FAIRE* + activité**

**A** Relève dans cette leçon les expressions avec les verbes *jouer* et *faire*.

**B** Classe-les logiquement. Pense au verbe et à la préposition.

**C** Quelles expressions s'utilisent pour parler d'un jeu ? d'une pratique musicale ? d'une activité en général ?

1) Tu vas faire du shopping ?
Tu vas à la campagne ?
Tu restes chez toi ?

2) Tu joues au volley ?
au foot ?
au basket ?

3) Tu fais du dessin ?
de la musique ?
du théâtre ?

4) Tu joues à un jeu vidéo ?
au Monopoly ?
aux cartes ?

5) Tu vas au cinéma ?
à la piscine ?
au gymnase ?

6) Tu fais du judo ?
de la danse ?
du vélo ?

 ## Pour bien prononcer

*Une fourmi avec un tutu en tulle gris lit une revue sur le cou d'une chauve-souris. Quelle folie !*

| J'ENTENDS | J'ÉCRIS |
|-----------|---------|
| [ y ] | u (*une*) |
| [ u ] | ou (*fourmi*) |
| [ i ] | i (*gris*) |

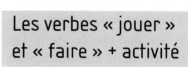

Écris des mots contenant ces graphies.

## Les verbes « jouer » et « faire » + activité

*jouer à* + jeu / sport
*jouer du* + instrument
*faire du* + activité

# Tous différents

J'aime être originale !

Moi aussi !

Je n'aime pas qu'on me copie !

Moi non plus !

**3** **Observe.** Quand est-ce qu'on utilise « moi aussi » et « moi non plus » ?

**4** **BIP BIP.** Écoute et réponds. Tu fais pareil ?
Réponds « moi aussi » ou « moi non plus ».
*Exemple : Moi, j'adore le basket et toi ? BIP : Moi aussi !*

## Le rendez-vous

**5** **Écoute et lis.**

- ● Laura, Laura !!!
- ■ Oh ! Fred, quelle surprise ! Qu'est-ce que je suis contente de te voir !
- ● Moi aussi ! On va prendre quelque chose ?
- ■ Oh ! je suis désolée, je ne peux pas, je vais chez le dentiste… Mais on prend rendez-vous pour la semaine prochaine…
- ● Euh… D'accord, lundi à 6 h, ça va ?
- ■ Non, je ne peux pas ; le lundi et le mercredi, je vais à un cours de danse africaine. Mardi soir ?
- ● Impossible, je fais du basket et… le jeudi aussi !
- ■ Vendredi alors…
- ● Euh…

**6** **Trouvez une fin à cette situation difficile et cherchez-lui un autre titre.**

## CLUB Chanson

**La vie est belle. Écoute et chante.**

Moi, je fais de l'aïkido
Du tai-chi et du judo
J'ai de bons abdominaux
Je suis vraiment costaud

La vie est belle…

Je joue très bien au basket
Je vais de fête en fête
Je mets de l'eau de toilette
Je suis une fille coquette

La vie est belle…

Moi, je chante des tangos
J'adore jouer du saxo
Et danser le flamenco
J'ai la musique dans la peau

La vie est belle…

Moi, j'apprends le japonais
Je dessine des portraits
J'adore faire des projets
J'ai toujours beaucoup d'idées

La vie est belle…

# DOC LECTURE : ALLER À L'ÉCOLE, CE

En Europe, tout le monde va au collège mais c'est exceptionnel en Afrique. Plus grave encore : dans le monde, 120 millions d'enfants ne vont pas à l'école du tout. Pour lutter contre ce problème, le 8 septembre, c'est la journée internationale de l'alphabétisation.

## AFRIQUE DU SUD

Même dans les bidonvilles de Soweto, les élèves portent l'uniforme de leur école. Un héritage, sans doute, de la présence britannique dans le pays. En Afrique du Sud, l'enseignement est gratuit mais beaucoup d'enfants pauvres se trouvent encore privés d'école, leurs parents étant dans l'impossibilité de leur offrir l'uniforme obligatoire du collège.

## MONGOLIE Dans la prairie, les bureaux sont en pierre.

Quand les élèves sont nomades, le maître se déplace lui aussi. La classe se fait en plein air : il suffit d'un tableau noir planté dans l'herbe. On va à l'école à cheval ou à dos de buffle, et les animaux broutent paisiblement en attendant la fin des cours.

## AFGHANISTAN

L'école : un grand trou creusé dans le désert, à l'abri d'une tente. 39°C à l'ombre en septembre. Malgré la chaleur, la classe continue. Assis par terre, les élèves de ce camp de réfugiés apprennent à lire et à écrire.

## INDONÉSIE Sur l'île de Bornéo, on va à l'école en vélo et souvent on met un masque. Les élèves malades ou juste fragiles cherchent à se protéger car un nuage de pollution de trois kilomètres recouvre tout le sud de l'Asie.

# C'EST PAS TOUJOURS FACILE

*Diversité*

## CAMBODGE
À Phat Sanday, un village flottant sur le lac Tonlé Sap, l'école se trouve, en principe, protégée des inondations. Mais les élèves sont tellement nombreux que l'édifice s'enfonce dans l'eau...

Il y a aussi des écoles flottantes créées à l'initiative des parents. Elles accompagnent les villages de pêcheurs qui se déplacent pour suivre les bancs de poissons.

© Prisma Presse – GÉO ADO

**1** **Après une première lecture, faites des déductions sur le sens des mots inconnus.**
Comparez avec le reste de la classe.

**2** **Laquelle de ces informations te semble la plus surprenante ?**

## Projet  Copains collages

Il s'agit de faire un collage pour la présentation d'un(e) de tes camarades à l'aide de photos et d'autres éléments découpés dans une revue.

Réalisation :

1. On tire au sort le nom d'un ou d'une de tes camarades pour savoir quelle est la personne que tu vas décrire. Attention ! ce nom reste secret jusqu'au moment de la présentation.

2. Découpe dans une revue les photos, les dessins, les lettres et les mots nécessaires pour décrire les aspects qui te semblent représentatifs de ton copain ou de ta copine : son aspect physique, ses qualités, son caractère, ses goûts et préférences, ses petits secrets, sa chambre, ses habitudes...

3. Accompagne ce collage d'un texte. (N'écris surtout pas le nom de la personne décrite.)

4. Une fois ton œuvre finie, présente-la au reste de la classe qui devinera de qui il s'agit.

Si dans la classe vous ne vous connaissez pas, profitez de cette activité pour vous présenter vous-mêmes à travers ce collage.

# B.D. Joyeux anniversaire !!!

**Hé ! Psst... C'est mon anniversaire. Mercredi, je fais une fête ! Tu viens ?**

**Heu... Je ne peux pas... Je vais à mon cours de guitare. Désolé...**

**Qu'est-ce que tu fais mercredi, tu es libre ?**

**Ah... dommage. Je fais une fête pour mon anniversaire.**

**Ben... Non. Je garde mon petit cousin qui habite très, très loin... Tu sais, juste en face du stade...**

**Et toi, Céline, je suppose que tu es très occupée mercredi ?**

**Ouais ! Je vais à la piscine le mercredi. On s'entraîne pour le championnat de natation synchronisée. Tu sais... c'est très difficile : il y a un exercice où on se met au milieu de la piscine et il faut lever les bras au-dessus de la tête et...**

**D'accord, d'accord...**

**Alors, mon chéri, qu'est-ce que tu vas préparer pour ta fête ?**

**Il n'y a pas de fête. Mes copains ne peuvent pas... ou plutôt ne veulent pas venir...**

**Le jour J...**

**DRIIING !!!**

**Surprise !**

**Joyeux anniversaire !!**

 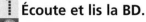

**1** Écoute et lis la BD.

**2** Choisissez un autre titre pour cette BD.

**3** Écoutez et lisez à haute voix.
Imitez les intonations.

## TEST DE COMPRÉHENSION ORALE !!!

Toc, toc !

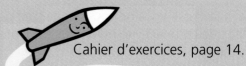

Cahier d'exercices, page 14.

# TEST 30 / 30 à l'oral

## Aide-mémoire

**On a travaillé dans ce module :**
- Les expressions pour…
  - demander la permission, p. 6, 7
  - situer dans l'espace, p. 8, 9
  - décrire une chambre, p. 9
  - parler de ses activités, p. 10, 11
  - prendre un rendez-vous, p. 11

- Les 3 formes interrogatives, p. 6, 7
- Prépositions de lieu avec *de*, p. 8
- Les meubles et les objets d'une chambre, p. 8, 9
- Les activités et passe-temps, p. 10, 11
- *Jouer à* + jeu / sport, *jouer du* + instrument, *faire du* + activité, p. 10, 11
- *Moi aussi / Moi non plus*, p. 11

**1** Bip, Bip, réponds vite. Écoute et réponds à ces questions.

10 Questions, 10 Points !!!!

⟩ 10

**2** Imagine leurs activités et passe-temps préférés.

⟩ 5

**3** Décris la chambre de Sam et cherche où sont ses 10 hamsters.

⟩ 10

**4** Rendez-vous chez le dentiste. Tu es très occupé(e), le dentiste aussi. Vous avez des problèmes pour fixer un rendez-vous. Jouez la scène.

⟩ 5

SCORE :     ⟩ 30

# Ici « Radio Frisson »

**1 Écoute « Radio Frisson ».**
En quoi consiste cette émission ?

> Bonsoir, voici l'heure de « Radio Frisson », l'émission de radio qui va te donner des frissons...

**2 Écoute l'histoire.** Relève les différentes sensations éprouvées par M. Faucard.

### Minuit

Il est minuit. La ville est déserte. Tout le monde dort ? Non ! Monsieur Faucard marche tranquillement dans la rue. Il a très faim, il a envie d'un bon sandwich. Mais il est tard, il est fatigué et il a très sommeil. Il a vraiment besoin de dormir...

Tout à coup : pom, pom, pom... Qu'est-ce que c'est ? Des pas derrière lui. Qui est-ce ?

Il regarde : c'est un homme avec une gabardine et un chapeau noir. C'est un voleur ? C'est un assassin ? Monsieur Faucard tremble. Pourquoi ? Il a froid ? Non, il a peur !
Qu'est-ce qu'il va faire ? Il va courir ? Il va crier ? Non ! M. Faucard continue à marcher. Il arrive chez lui. Enfin ! Il cherche sa clef. L'homme aussi.
« Bonsoir, monsieur Faucard. »

OUF !!! C'est monsieur Vertbois, le voisin du 4ᵉ étage !

**3 Écoute et lis.** Imite bien les intonations. Il faut 3 acteurs : M. Faucard, M. Vertbois et le narrateur.

**4 BIP BIP.** Réagis. Utilise « J'ai envie de... ».
*Exemple : J'ai faim. BIP : J'ai envie d'un sandwich.*

## Pour t'aider

| | |
|---|---|
| J'ai faim. | J'ai chaud. |
| J'ai soif. | J'ai envie de rire. |
| J'ai sommeil. | J'ai envie de pleurer. |
| J'ai très peur. | J'ai très envie d'une glace. |
| Je n'ai pas froid. | J'ai besoin de dormir. |

## Pour bien prononcer

*Viviane, une fille très forte aux cheveux frisés, va faire du surf en février.*

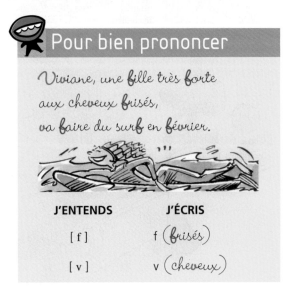

| J'ENTENDS | J'ÉCRIS |
|---|---|
| [ f ] | f (frisés) |
| [ v ] | v (cheveux) |

# Parcours accidenté

Sam et Didi sont des voleurs. Ils veulent s'approprier
« la Goutte de sang », l'énorme rubis du Maharadja de Valimpour.

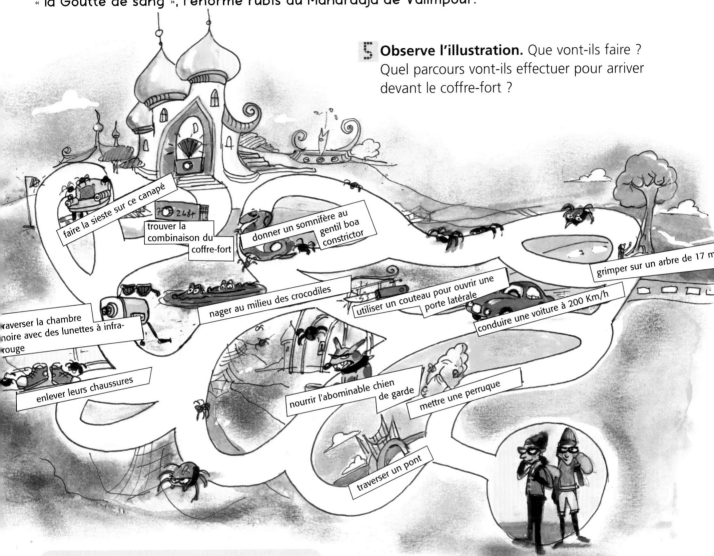

**5 Observe l'illustration.** Que vont-ils faire ?
Quel parcours vont-ils effectuer pour arriver
devant le coffre-fort ?

faire la sieste sur ce canapé

trouver la combinaison du coffre-fort

donner un somnifère au gentil boa constrictor

grimper sur un arbre de 17 m

traverser la chambre noire avec des lunettes à infra-rouge

nager au milieu des crocodiles

utiliser un couteau pour ouvrir une porte latérale

conduire une voiture à 200 Km/h

enlever leurs chaussures

nourrir l'abominable chien de garde

mettre une perruque

traverser un pont

**Attention !** Il faut savoir que Sam a le vertige
et que Didi a une peur bleue des araignées.

## Observe et analyse

**LE FUTUR PROCHE**

**A Observe.**

- Qu'est-ce que vous **allez faire** cet après-midi ?
- Nous, on **va nager**.
- Moi, je **vais lire** ce livre.
- Et nous, nous **allons jouer** au ballon !

**B Comment se construit le futur proche ?**

# CLUB Chanson

**Très occupée !!!**
**Écoute et chante.**

Le matin, il faut travailler
L'après-midi, il faut étudier
Mais le soir, moi, j'aime danser
La danse pour moi, c'est la liberté
…

Diversité

# Théo et les racketteurs

**1** **Écoute et lis cette histoire.**

Hier après-midi, Théo a pris son sac et il est sorti du collège. Il a dit au revoir à ses copains et il est allé à son cours de guitare.

Pour aller plus vite, il est passé par une petite rue solitaire.

Devant lui, il a vu trois jeunes à la mine patibulaire. Il a eu envie de retourner sur ses pas mais il a continué à marcher.

Quand il est passé à côté d'eux, il a regardé par terre et il a salué d'une toute petite voix.

Les trois jeunes ont ricané. Ils ont dit d'une voix menaçante : « Tes baskets ! Ton portable ! Ta montre ! Vite ! »

Théo a commencé à trembler, il a enlevé lentement ses chaussures.

Tout à coup... des pas derrière lui. Une femme est arrivée et elle a crié : « Au secours ! Police !!! » Les jeunes racketteurs sont partis en courant.

Théo a eu très peur. Il ne passera plus par cette petite rue solitaire. Ça c'est sûr !!!

 **Écoutez et mimez !**

**a)** La moitié de la classe mime les actions de Théo, l'autre moitié les actions des racketteurs.

**b)** Un élève mime une des actions de l'histoire, le reste de la classe devine.

 **Tu es Théo.** Raconte ton expérience.

*Tu as vécu ou tu connais quelqu'un qui a vécu une expérience de ce genre ?*

 ## Observe et analyse

**LE PASSÉ COMPOSÉ**

**A** Observe avec quels auxiliaires se construit le passé composé.

| | |
|---|---|
| Il a dit au revoir. | Il est sorti. |
| Ils ont ricané. | Ils sont partis. |
| Elle a crié. | Elle est arrivée. |

**B** Quand le passé composé se construit avec l'auxiliaire *être*, avec quoi s'accorde le participe ?

**C** Relève dans le texte les autres verbes au passé composé. Quel est leur infinitif ? Classe-les.

**D** Choisis un verbe qui se conjugue avec *être* et un autre avec *avoir*. Conjugue-les au passé composé à toutes les personnes.

 ## Pour bien prononcer

*Je veux parler avec mémé Lucette,*
*parce que pépé a cassé ses lunettes*
*monté sur ce dromadaire en chaussettes.*

| J'ENTENDS | J'ÉCRIS |
|---|---|
| [ə] | e *(je, ce)* |
| [ɛ] | ai *(dromadaire)* |
| | e(c) *(avec)* |
| | e(tte) *(lunettes)* |
| | e(s) *(ses)* |
| [e] | é *(pépé)* |
| | e(r) *(parler)* |

## Pour t'aider

**VERBES QUI SE CONJUGUENT AU PASSÉ AVEC L'AUXILIAIRE *ÊTRE***

aller — venir

entrer — sortir

arriver — partir

naître — mourir

tomber — rester

monter — descendre

passer

# Club nocturne « la lune rouge »

À partir de minuit, le club de Freddy est très fréquenté. Observe les clients. Tu les reconnais ?

10) J'ai regardé la lune et j'ai pleuré.

1) J'ai préparé une potion magique délicieuse.

9) J'ai bu un cocktail au sang frais et j'ai eu très mal aux dents.

Entrée interdite aux humains

8) J'ai cherché l'anneau magique toute la nuit.

2) J'ai fait peur aux visiteurs du château.

3) J'ai vu 3 films sans payer.

6) J'ai dit adieu au Docteur.

4) J'ai mangé de la chair humaine.

7) J'ai fait une petite surprise aux habitants du quartier.

5) J'ai attendu minuit et je suis sorti de ma tombe.

**1** **Toutes les bulles sont en désordre.**
Retrouve celle qui correspond à chaque personnage pour savoir ce qu'ils ont fait.

**2** **Choisis un des personnages et imagine.**
Où est-il allé ? Qu'est-ce qu'il a fait d'autre ?

**3** **Qui suis-je ?** Tu es un personnage monstrueux. Tu racontes ce que tu as fait hier. Les autres devinent de quel personnage il s'agit.

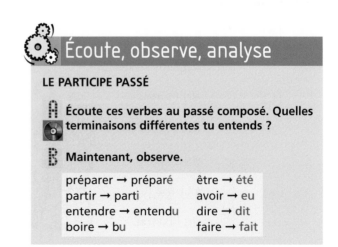

## Écoute, observe, analyse

**LE PARTICIPE PASSÉ**

**A** Écoute ces verbes au passé composé. Quelles terminaisons différentes tu entends ?

**B** Maintenant, observe.

| | |
|---|---|
| préparer → préparé | être → été |
| partir → parti | avoir → eu |
| entendre → entendu | dire → dit |
| boire → bu | faire → fait |

# Méli-mélo...

Mme Rosie, la dame qui s'occupe du vestiaire du club est très inquiète. Elle a trouvé les vêtements et les objets déposés par la clientèle sens dessus dessous. Quelle catastrophe !

**4 Écoute Mme Rosie.**

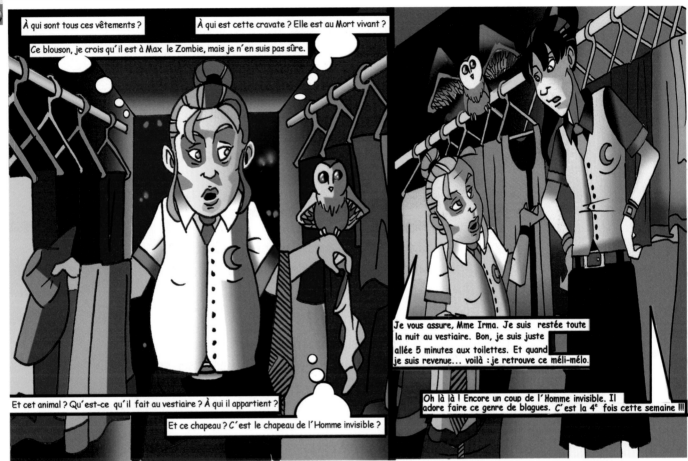

**5 Observe bien les clients du club.** Aide Mme Rosie à retrouver les propriétaires des objets perdus.

**6 Jeu : À qui est-ce ?** Votre professeur a discrètement pris un objet à chaque élève. Découvrez le / la propriétaire.

## Écoute, observe, analyse

**LES ADJECTIFS DÉMONSTRATIFS**

**A** Écoute et lève la main quand tu entends le masculin singulier.

**B** Maintenant, écoute et lis.

| | masculin | féminin |
|---|---|---|
| **singulier** | ce blouson | cette cravate |
| | cet animal | cette autruche |
| **pluriel** | ces hommes | ces femmes |
| | ces acteurs | ces actrices |

1) Quels adjectifs se prononcent de la même manière ?
2) Quand est-ce qu'on utilise *cet* ?

# DOC LECTURE Conseils pour la lecture

## Comment transformer une simple lecture en un spectacle TOTAL !

**1** Pendant la lecture. Regardez le public : il va se sentir directement concerné et suivra votre lecture avec plus d'attention.

**2** Transformez votre voix. Variez les tons, les registres : imaginez que vous êtes quelqu'un de très timide, d'autoritaire, de grave, de snob, de grandiloquent ou… Pourquoi ne pas donner à votre lecture un accent spécial ? Savez-vous zozoter ?

**4** Mimez.
Choisissez le bon moment pour être théâtral : levez-vous, gesticulez, déplacez-vous…

**6** Bruitez.
Comme au cinéma, le bruitage met réellement de l'ambiance. VROUMMM !
Si vous voulez créer une ambiance de mystère ou de terreur, voici quelques effets sonores :

## LE TONNERRE :

Froissez une grande feuille de papier (papier épais, de préférence).

## LE CRI DE LA CHOUETTE :

Découpez un morceau de papier (18 cm x 8 cm, à peu près). Pliez-le ensuite comme l'indique le dessin. Faites un petit trou au milieu du pli central. Soufflez.

## LES OS D'UN SQUELETTE :

Secouez une boîte de conserves remplie de clous.

## LA PLAINTE DES MAUVAIS ESPRITS :

Soufflez doucement au raz du goulot d'une bouteille.

## ...n public

**Chantez.**
Interprétez des mots, des phrases, des paragraphes sur un air de musique : selon la musique choisie, vous donnerez à votre récit une ambiance d'opérette, de music-hall…

**Faites intervenir votre public.**
Interrompez votre lecture : savez-vous qui…? pourquoi…? comment…? À votre avis, qu'est-ce qui va se passer ?

### LA PLUIE :

Faites tomber en « pluie » des grains de riz dans une assiette en carton, ou bien tapotez avec vos doigts sur le fond de cette assiette.

### LE BRUIT DE PAS :

Tapez le dessus d'un carton vide avec vos mains.

**Avez-vous d'autres idées ?**

**1** Quel est le conseil toujour utile pour communiquer avec le public ?

**2** Parmi ces conseils, relevez :
  a) des consignes ou des ordres précis.
  b) des propositions ou des suggestions.

**3** Donnez quelques idées de bruitages.

# Projet
## Textes frisson

Pour participer au concours, il faut :

- Former des petits groupes de 3 ou 4 personnes.
- Inventer une histoire mystérieuse.
- Introduire dans l'histoire…
  - ces mots : « des pas derrière lui » ;
  - 10 verbes au passé composé. (Au minimum !)
- Présenter l'histoire au jury sous forme de lecture dramatisée et sous forme de texte écrit.

**Le jury sera composé du reste de la classe.**

Pour impressionner le jury, il faut tout d'abord un bon texte, une bonne mise en scène et une parfaite mise en page.

Pour la mise en scène :

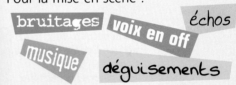

Attention !!! une bonne diction et une super intonation sont très importantes.

Pour la mise en page :

**Exposition finale des chefs d'œuvre !!!**

**Prix à la meilleure production écrite et à la meilleure production orale.**

@ Envoie ton texte mystérieux à ton / ta correspondant(e).

# B.D. Moi, l'hypnose...

1 Écoute et lis la BD.

2 Résumez cette histoire en répondant aux questions suivantes : quand ? qui ? où ? qu'est-ce qui s'est passé ? pourquoi ?

3 Écoutez et lisez à haute voix. Imitez les intonations.

## TEST DE COMPRÉHENSION ORALE !!!

*Question de goût*

Cahier d'exercices, page 26.

# TEST 30 / 30 à l'oral

## Aide-mémoire

**On a travaillé dans ce module :**
- Les expressions pour…
  - exprimer des sensations, p. 16
  - parler de ses projets immédiats, p. 17
  - raconter des événements (des actions) au passé, p. 18, 19, 20
  - indiquer l'appartenance, p. 21

- *Avoir envie de…*, p. 16
- *Avoir besoin de…*, p. 16
- Les sensations, p. 16
- Le futur proche, p. 17
- Le passé composé avec *avoir* et *être*, p. 18, 19, 20
- *À qui est-ce…?*, p. 21
- Les adjectifs démonstratifs, p. 21

**1** Bip, Bip, réponds vite. **Écoute et réponds à ces questions.**

/ 10

**2** Raconte ce que Mme Grenouille a fait dimanche dernier.

/ 10

**3** Qu'est-ce que Lucie va faire avant d'aller au théâtre ?

pharmacie
parapluie chez Robert
apéritif avec Luc
Maman
petite sieste

/ 5

**4** Tu as trouvé ces affaires sur ta table. Tu veux retrouver le ou la propriétaire. Pose les questions.

/ 5

SCORE : / 30

# MODULE 3 LEÇON 1

- Décrire un appartement ou une maison
- Présenter sa famille
- Exprimer des actions passées à la forme négative

# La maison au milieu des bois

**DEUXIÈME ÉTAGE**

le grenier

le salon

**PREMIER ÉTAGE**

la salle de bains

la terrasse

les toilettes

la cuisine

le garage

**REZ-DE-CHAUSSÉE**

FAMILLE LEROY

**1** **Observe bien l'illustration.** Lis ces phrases et dis si elles sont vraies ou fausses.

a) Toutes les fenêtres ont des rideaux.
b) Il y a une baignoire dans les toilettes.
c) Dans la cuisine, il y a un frigo.
d) Au fond du couloir, il y a une fenêtre.
e) Dans le garage, il y a une machine à laver.

f) Dans le salon, il y a un tapis.
g) Dans le salon, il y a 3 fauteuils.
h) La salle de bains se trouve au rez-de-chaussée.
i) Dans le grenier, il y a un vieux canapé.
j) La terrasse est au 3ᵉ étage.

**2** **Il y a 10 animaux cachés chez les Leroy.** Où sont-ils ?

## 3 Écoute la chanson et observe l'illustration.

**a)** Quels sont les différents membres de cette famille ?
**b)** Qu'est-ce qu'ils ont fait ce week-end ? Dans quelle partie de la maison ?

# La maison au milieu des bois

Dans une maison
Au milieu des bois,
Passe ses week-ends
La famille Leroy.
Écoutez,
Regardez
Ce qu'ils ont fait
Dimanche dernier.

Le grand-père
A travaillé
Dans le jardin
Embroussaillé.
Il a planté
Du romarin,
Mais il a eu
Très mal aux reins.

La grand-mère
S'est installée
Sur la terrasse
Ensoleillée.
Elle s'est mise
À tricoter
Et à relire
Ses BD.

La mère a fait
Du bricolage
Dans la salle de bains
Du premier étage.
Elle a mis
Des étagères
Et elle a peint
Les murs en vert.

Dans la grande cuisine
Au rez-de-chaussée,
Il y a toujours eu
Plein d'activité.
Tante Caroline
Et oncle Léon
Ont fait pour midi
Une soupe à l'oignon.

Au dernier étage
Où il y a le grenier,
Des fantômes, des vampires,
Des monstres très laids,
Les cousins, les cousines,
Les frères, les sœurs
Ont joué tous ensemble
À se faire peur.

Le soir
Dans le salon,
Ils ont
Joué du violon.
Ils ont
Beaucoup chanté.
Ils se sont bien
Amusés.

*C'est comment,
chez toi ?*

# Sondage : Le matin

**1)** Combien de temps tu passes dans la salle de bains ?
**2)** Qui passe le plus de temps dans la cuisine ?
**3)** Dans quelle pièce tu n'entres pas ?
**4)** Où est-ce que tu prends ton petit-déjeuner ?

## 4 Complétez ce sondage sur les habitudes de votre famille à la maison. Répondez sur la fiche Diversité et rapportez les résultats de votre groupe au reste de la classe.

# Quels curieux !

## 5 Tes camarades essaient de deviner ce que tu as fait hier après le collège. Tu réagis.

TU ES ALLÉE CHEZ TA GRAND-MÈRE ?

OUI, C'EST EXACT !

TU AS JOUÉ AVEC TA PETITE SŒUR ?

NON, JE N'AI PAS JOUÉ AVEC ELLE.

## Observe et analyse

### LE PASSÉ COMPOSÉ À LA FORME NÉGATIVE

| | |
|---|---|
| je n'ai pas parlé | je ne suis pas sorti(e) |
| tu n'as pas parlé | tu n'es pas sorti(e) |
| il / elle / on n'a pas parlé | il / elle / on n'est pas sorti(e)(s) |
| nous n'avons pas parlé | nous ne sommes pas sorti(e)s |
| vous n'avez pas parlé | vous n'êtes pas sorti(e)(s) |
| ils / elles n'ont pas parlé | ils / elles ne sont pas sorti(e)s |

**A** Compare le présent et le passé à la forme négative. Où se placent **ne** et **pas** dans chaque cas ?

**B** Conjugue d'autres verbes au passé composé et à la forme négative.

# Une soirée chez Natacha

À l'occasion de son anniversaire, Natacha Jolie, la grande star du pop français, a invité ses amis les plus intimes à une petite soirée dans sa propriété d'Antibes.

**1** **Écoute le majordome qui annonce l'arrivée de quelques invités.** Quelle est leur profession ?
Attention ! Tous les noms et les personnages cachent un indice !

TopModel

cinéaste

Guide touristique

footballeur journaliste

Fatima Raquech
Erika Méra
Sara Besque
Olympia Noforte
Ruppert Manente
Philippe Énalty
Mara Quette
Alma Gazine
Omar Mitte
Yaoundé Filé

MUSICIENNE

Cuisinier

joueuse de tennis

danseuse

coiffeur

**2** **Observe l'illustration et écoute ces conversations.** Qui parle ? Avec qui ?

- Natacha ??? Bonjour mon amour.
- Oh, c'est toi, Johnny ?
- Je te réveille ?
- Non. Non, ça va… je me suis réveillée à 10 heures, mais… tu sais… je me suis couchée très tard.
- Ça s'est bien passé, alors, ta petite fête ?
- Oh, oui… très bien. Nous nous sommes installés dans le jardin, on s'est baignés dans la piscine. On s'est amusés comme des fous !!!
- Comme des fous ???
- Oui, Georges n'a pas arrêté de raconter des blagues. Qu'est-ce qu'on a ri !!!
- Alors, je ne t'ai pas manqué ?
- Mais si, gros bêta…

## JOHNNY ET NATACHA : LA RUPTURE ?

À l'occasion du lancement de son dernier CD « La lune virtuelle », Natacha Jolie a réuni une centaine d'invités dans sa propriété d'Antibes. La soirée, qui s'est déroulée dans une ambiance pleine de charme et de glamour, s'est prolongée jusqu'à l'aube.

Tout le monde a remarqué l'absence de Johnny Tip, le dernier fiancé de la chanteuse.

Parmi les célébrités invitées, Georges Plouney, encore plus beau en vrai qu'au cinéma, n'a pas quitté Natacha de toute la soirée.

Johnny et Natacha sont-ils en pleine rupture ? Se sont-ils disputés encore une fois ? Est-ce qu'ils vont se quitter définitivement ?

---

**3** **Écoute la conversation téléphonique.** Que dit Natacha à son fiancé ?

**4** **BIP BIP.** Réécoute la conversation et réponds aux questions de Johnny.

**5** **Lis l'article de *France-Star Magazine*.** Trouve les mensonges écrits par les paparazzis.

**6** **Vous êtes paparazzis.** Vous avez suivi une star célèbre. Vous racontez ses allées et venues.

## Les verbes pronominaux au passé composé

| | |
|---|---|
| je **me** suis réveillé(e) | nous **nous** sommes réveillé(e)s |
| tu **t'es** réveillé(e) | vous **vous** êtes réveillé(e)(s) |
| il **s'est** réveillé | ils **se** sont réveillés |
| elle **s'est** réveillée | elles **se** sont réveillées |
| on **s'est** réveillé(e)s | |

**Relève les différents verbes pronominaux dans cette page.**

## Observe et analyse

**LE PASSÉ COMPOSÉ : *ÊTRE* OU *AVOIR* ?**

**A** Avec quel auxiliaire se conjugue la majorité des verbes au passé composé ?

**B** Avec quel auxiliaire se conjuguent les verbes pronominaux ? Rappelle-toi. Quels autres verbes se construisent avec le même auxiliaire que les verbes pronominaux ?

## Pour bien prononcer

*Il a placé le ballon dans le paquet, le paquet dans la voiture, la voiture dans le bateau, le bateau dans l'eau et il est parti à Rio.*

| J'ENTENDS | J'ÉCRIS |
|---|---|
| p (*paquet*) | [ p ] |
| b (*bateau*) | [ b ] |

# À l'école, ça bouge !

## STRASBOURG, RENDEZ-VOUS VIDÉO !

Les élèves de 5ᵉ A du collège Bertolt Brecht de Frankfort ont participé au Festival de vidéo scolaire de Strasbourg. Avec leur professeur Mme Butz, ils ont écrit et tourné un film plein d'humour et de situations insolites. Leur film n'a pas gagné mais ils ont reçu le prix de la classe la plus drôle et créative et ils ont vécu une expérience inoubliable.

LES AVENTURES DE ROMMY ET MIKAELA

Un film à voir ABSOLUMENT !!!

Leurs aventures vous feront monter l'adrénaline !

ENTRÉE GRATUITE

Affiche élaborée pour « la promo » du film dans notre école.

REPAS SOLIDAIRE

Dans notre collège, nous organisons chaque mois un « repas solidaire ». Au lieu de manger comme tous les jours 2 plats et un dessert, nous mangeons seulement un plat : des pâtes ou du riz.
L'argent économisé de cette façon est destiné à des écoles du Niger. Comme ça, les professeurs pourront acheter du matériel et leurs élèves pourront travailler dans des conditions plus favorables.

Charlotte, 14 ans
Collège Victor Hugo (Nice)

Raconte à ton / ta correspondant(e) un projet d'école original ou solidaire.

VIVE TOULON ET BADALONA !

Avec notre professeur d'espagnol, nous avons correspondu avec des élèves du Collège Rubió i Ors de Badalona (Barcelone). Nous avons envoyé des lettres, des photos de notre école, de nos profs et même un reportage vidéo sur notre ville. Eux aussi, ils nous ont présenté leur collège, leur ville et leur... super équipe de basket ! C'est génial d'apprendre à connaître des jeunes qui parlent une autre langue et qui vivent différemment. On espère aller très bientôt à Barcelone.

Kevin, 14 ans
Collège Marcel Pagnol (Toulon)

# « INTERDIT DE COURIR »

Tous les élèves du collège Simone de Beauvoir ont participé au MARCHATHON. C'est le nom d'une grande marche à pied organisée pour récolter des fonds qui serviront à acheter des chiens d'aveugles. Le but de la marche est de parcourir la plus grande distance possible. Le principe est simple : chaque élève doit trouver un ou plusieurs parrains ou marraines qui s'engagent à verser une certaine somme d'argent par km parcouru. En général, c'est nos parents ou notre famille qui nous parrainent. Moi, j'ai eu 1 euro par km ! Dans notre collège nous avons gagné 2 540 € !

Sébastien, 13 ans. Collège Simone de Beauvoir (Paris)

## 1 Lis ces documents.

a) Qui va faire un échange scolaire ?
b) Qui collabore avec une association humanitaire ?
c) Qui a préparé un film en vidéo ?
d) Quels ont été les projets de classe ?
e) Quels projets concernent toute l'école ?

## 2 Quel projet te plaît le plus ? Pourquoi ?

## 3 Écoute l'extrait de cette interview.
 De qui s'agit-il ?

## 4 Imaginez... Vous avez fait un projet de classe super méga génial. Vous répondez à cette journaliste.

Comment s'appelle votre collège ?

Quel est votre projet ?

D'où est sortie l'idée de ce projet ?

Vous êtes combien dans votre… ?

Comment vous vous êtes organisé(e)s ?

Vos parents ont collaboré ?

## Observe et analyse

### LES ADJECTIFS POSSESSIFS

**A** Observe les adjectifs possessifs de chaque texte.

1) Ils se réfèrent à un ou à plusieurs possesseurs ?
2) Ils précèdent des mots masculins ou féminins ?
3) *Leur* ou *leurs* ? *Votre* ou *vos* ? Explique la différence.

**B** Pour bien utiliser les adjectifs possessifs, il faut bien identifier le possesseur.

| | sac | trousse | crayons / gommes |
|---|---|---|---|
| je | mon | ma | mes |
| tu | ton | ta | tes |
| il / elle | son | sa | ses |
| nous | notre | notre | nos |
| vous | votre | votre | vos |
| ils / elles | leur | leur | leurs |

## Pour bien prononcer

Tonton Renaud qui fait du pédalo au bord de l'eau, tombe de haut et a mal au dos.

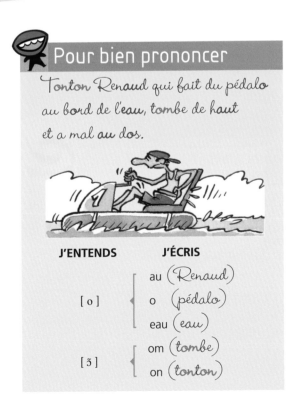

| J'ENTENDS | J'ÉCRIS |
|---|---|
| [o] | au (Renaud) |
| | o (pédalo) |
| | eau (eau) |
| [ɔ̃] | om (tombe) |
| | on (tonton) |

# DOC LECTURE D'UN BOUT À L'AUTRE

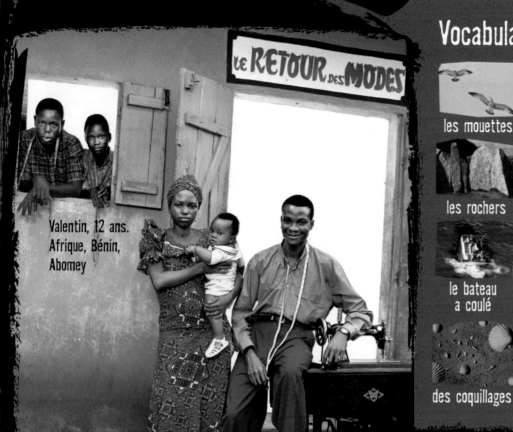

Valentin, 12 ans.
Afrique, Bénin,
Abomey

## Vocabulaire illustré

les mouettes   le trottoir   une pelle

les rochers   couper le tissu   une aiguille

le bateau
a coulé   métier :
couturier   prendre les
mesures

des coquillages   un voilier   un seau

Marie–Gabrielle. 11 ans.
Europe, France,
Saint–Philibert

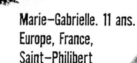

1 **Observe chacune des photos.**
**D'après toi,...**

Diversité

a) quelle est la relation entre les personnes
qui apparaissent sur la photo ?
b) quel est leur pays d'origine ?
c) quelle est leur activité ?
d) quel est leur milieu socio-économique ?

2 **Observe le vocabulaire illustré.** Mets-le
en relation avec chacune de ces 2 photos.

3 **Lis les 2 textes et vérifie tes**
**hypothèses.**

## DE LA PLANÈTE

### OKU ! *

Bienvenue dans notre atelier de couture « Le retour des modes ».
Il est situé dans la rue principale d'Abomey, une importante ville du pays. Notre machine à coudre est posée sur le trottoir au milieu des passants, des vendeurs ambulants et des Mobylette, à deux pas du coiffeur et de vendeurs de brochettes. Le petit bruit familier de l'aiguille attire les gens. C'est bon pour le commerce !
Eh oui, j'ai déjà un métier ! Je suis apprenti chez Denis, mon patron. Il me considère comme son fils. Maintenant, je sais prendre les mesures avec le mètre, je coupe le tissu à partir des modèles…
En travaillant, j'apporte ainsi un peu d'argent à mes parents qui ne sont pas bien riches. Le reste du temps, je vais à l'école du quartier. Ma matière préférée, c'est le dessin. Dans mon cahier, je m'amuse à dessiner de beaux vêtements. Plus tard, je serai styliste !
Comme beaucoup de Béninois, je suis catholique. Je vais régulièrement avec ma famille à l'église et nous chantons tous dans une chorale. Mais nous croyons aussi un peu au vaudou. Ce culte magique, qui mélange sorcellerie et rituel chrétien, est né ici, au Bénin.

### KENAVO ! *

Tu l'auras deviné, nous habitons en Bretagne, à Saint-Philibert, dans le golfe du Morbihan. Quand j'ouvre les fenêtres le matin, il y a l'odeur de l'iode, le vent, les mouettes et puis l'Atlantique à perte de vue. Juste en face, ce sont l'île d'Houat et Belle-Île, où nous partons en voilier par tous les temps.
C'est que nous ne sommes pas une famille de Terriens comme les autres ! Nous vivons avec la mer et de la mer. Mes parents sont ostréiculteurs, ils pêchent des crustacés et des coquillages dans la baie de Quiberon, avant de les expédier dans toute la France…
Le mercredi et le samedi, je suis les entraînements de voile à La Trinité. Si tu savais comme la mer est belle… Belle mais fragile !
En décembre 1999, quand le pétrolier Erika a coulé, il fallait nous voir avec nos brosses, nos seaux et nos pelles en train de frotter les rochers. Il y avait tous ceux de ma classe et des gens venus de partout !
Tu vois, la Bretagne, je ne suis pas la seule à l'aimer.

© Uwe Ommer - Familles du monde entier / Seuil

BONJOUR ! *

## Projet Texte-puzzle

### UNE FAMILLE PAS COMME LES AUTRES

Par groupes de 3 ou 4 personnes, racontez le dimanche d'une famille très originale en rédigeant un texte d'une dizaine de lignes.

■ Recopiez le texte sur une feuille cartonnée de couleur (Attention ! chaque groupe utilisera une couleur différente).

■ Découpez ensuite les phrases de ce texte pour en faire un puzzle et mettez toutes les pièces de ce puzzle dans une enveloppe.

■ Les différents groupes s'échangent les enveloppes.

■ Chaque groupe reconstitue le texte et en fait la lecture à haute voix.

Les marquis de la Rivière habitent   dans un vieux château.

Samedi dernier, ils ne sont pas sortis.

Voilà ce qu'ils ont fait   après le dîner :

Madeleine de la Rivière (la grand-mère) a mis les patins en ligne de son petit-fils et a patiné

dans le hall du château qui est immense.

Mathilde de la Rivière (la mère)

a voulu descendre le grand escalier   comme une star.

Malheureusement, elle a glissé   et elle est tombée.

Les enfants ont commencé à rire   nerveusement.

…Alors, Ferdinand (le père),   a pris sa femme par la main

pour la consoler   et ils sont sortis dans le parc.

Auguste de la Rivière (l'arrière-grand-père) a joué aux échecs   avec Baptiste, le majordome.

Il a triché comme d'habitude mais

Baptiste a fermé les yeux.

Philomène (la tante) et

Charles (l'oncle) ont mis de la musique de tam-tam et ont dansé une danse africaine.

Une petite soirée bien tranquile, finalement !

# B.D. Vacances chez Mamie et Papi

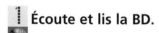 **1** Écoute et lis la BD.

**2** Choisissez un autre titre pour la BD.

**3** Résumez cette histoire en répondant aux questions : quand ? qui ? où ? qu'est-ce qu'ils / elles ont fait ? pourquoi ?

**4** Écoutez et lisez à haute voix. Imitez les intonations.

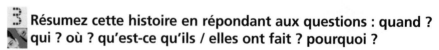

**TEST DE COMPRÉHENSION ORALE !!!**

*Quelle gaffe !*

Cahier d'exercices, page 38.

# TEST 30 / 30 à l'oral

## Aide-mémoire

**On a travaillé dans ce module :**
- Les expressions pour...
  - présenter sa famille, p. 26, 27
  - décrire son appartement ou sa maison, p. 26, 27
  - raconter des événements passés, p. 27
  - parler des activités professionnelles, p. 28, 29
  - raconter des projets réalisés au collège, p. 30, 31

- Le passé composé à la forme négative, p. 27
- Le passé composé des verbes pronominaux, p. 29
- Les adjectifs possessifs, p. 30, 31

**1** Bip, Bip, réponds vite. Écoute et réponds à ces questions.

10 Questions, 10 Points !!!!

⟩ 10

**2** Dis 6 choses que vous avez faites, tes ami(e)s et toi, samedi après-midi.

⟩ 6

**3** Réponds en utilisant la forme négative.

1) Aujourd'hui, tu t'es réveillé(e) à 5 heures du matin ?
2) Tu as pris un café ?
3) Tu es arrivé(e) au collège très en retard ?
4) Hier, tu t'es couché(e) à 2 heures du matin ?

⟩ 2

**5** Parle des membres ta famille. Présente-les.

⟩ 3

**6** Alex et Laëtitia partent en vacances. Avec qui ? Qu'emportent-ils ? Utilise des adjectifs possessifs.

⟩ 4

**4** Imagine. Ce week-end tu as été invité(e) chez des amis qui ont une maison très, très originale. Tu la décris à des copains.

⟩ 5

SCORE : ⟩ 30

# MODULE 4 LEÇON 1

- Comprendre des informations de type scientifique
- Raconter des curiosités scientifiques
- Faire des comparaisons

# Le sais-tu ?

## Voici quelques informations tirées de revues pour jeunes.
Tu trouveras probablement quelques mots difficiles, mais peux-tu comprendre l'essentiel ?

## Y a-t-il autant de sel dans toutes les mers du monde ?

Non, les mers fermées sont bien plus salées ! L'évaporation de l'eau y est plus importante et, comme le sel ne s'évapore pas, sa concentration augmente. Ainsi, la mer Morte, dans la région très chaude du Proche-Orient, est un vrai lac salé (275 grammes par litre d'eau, alors qu'en moyenne, les mers de la planète en comptent huit fois moins (35 g / l). Quand on y nage, on flotte sans effort, comme un bouchon ! À l'opposé, la mer Baltique, située au nord de l'Europe, est quasi-douce (4 g / l).

© Okapi, Bayard Presse Jeunesse

## Que d'eau, que d'eau !

Sais-tu quel est le 2e fleuve le plus long du monde après l'Amazone ? Il s'agit du Nil, en Afrique : il mesure 6 671 km, soit plus de 6 fois et demie la longueur de la Loire, le plus long fleuve de France ! Le Nil prend sa source près du lac Victoria, à l'équateur, et coule jusqu'à la mer Méditerranée.

Texte de Benoît Durand © Images Doc, Bayard Presse Jeunesse, 2002

## Mini robot maxi utile

Cet engin aux allures de libellule est le plus petit robot volant du monde. Son poids : 9 g, pour 7 cm ! Équipé d'un mini appareil photo, il pourra se révéler précieux en cas de séisme, pour pénétrer dans les décombres et localiser des victimes.

Texte de Jean-Yves Dana © Okapi, Bayard Presse Jeunesse, 2004

**1 Lis ces informations.**

   **a)** Lesquelles te semblent surprenantes ?
   **b)** Connais-tu d'autres curiosités scientifiques ?

**2 À toi d'écrire !** Recherche d'autres informations insolites.

Diversité

# Quiz : Drôles d'animaux !

## D'APRÈS TOI...

**1** **Un éléphant pèse autant que...**
a) 5 voitures.
b) 8 voitures.
c) 11 voitures.

**2** **Un perroquet peut dire...**
a) autant de mots qu'un enfant de 4 ans.
b) 60 mots à l'âge adulte.
c) 300 mots ou plus.

**3** **L'éphémère est l'insecte...**
a) le plus léger car il pèse 0,100 g.
b) le plus petit : il mesure 0,5 mm.
c) qui a la durée de vie la plus courte : 1 heure.

**4** **Le mille-pattes est un animal...**
a) qui a 1000 pattes.
b) qui a entre 800 et 1000 pattes.
c) qui a à peu près 200 paires de pattes.

**5** **Un œuf d'autruche pèse...**
a) autant qu'un œuf de tortue.
b) moins qu'un œuf de canard.
c) plus que n'importe quel œuf.

**3** **Réponds à ce quiz.** Compare tes réponses à celles de tes camarades.

**4** **Qui parmi vous est...**
le / la plus doué(e) pour le dessin, la musique, les jeux vidéo, le sport, l'informatique... ? pour bricoler, pour raconter des blagues, pour inventer des excuses... ?

**5** **Cherche avec un(e) camarade des caractéristiques communes.** Expliquez-les au reste de la classe.

Il est aussi sympa que moi.

Elle est plus grande que moi.

J'ai autant de frères que X.

## Observe et analyse

**LE COMPARATIF ET LE SUPERLATIF**

**A** Observe le tableau du comparatif. Complète-le avec des exemples. Compare avec ta langue.

| | | |
|---|---|---|
| plus de / d'<br>moins de / d'<br>autant de / d' | + NOM | + que |
| plus<br>moins<br>aussi | + ADJECTIF | + que |
| VERBE | plus<br>+ moins<br>autant | + que |

**B** Relève dans la leçon les superlatifs. Comment se forment-ils ? Fais un tableau pour les présenter.

## Pour bien prononcer

Des bons pains
Des blancs pains
Des bancs peints
Des bancs longs
Des bains pleins

| J'ENTENDS | J'ÉCRIS |
|---|---|
| [ã] | an (blancs) |
| [ɔ̃] | on (bons) |
| [ɛ̃] | ain (bains)<br>ein (plein) |

# Ton look au collège

Pour aller au collège, tu mets n'importe quoi ? tu passes des heures devant la glace ?
tu cherches à être différent(e), original(e), ou bien à passer inaperçu(e) ?

**1** **Observe bien les dessins et écoute ces jeunes qui parlent.** Qui dit quoi ?

**2** **Écoute et lis.** Avec qui tu t'identifies ?

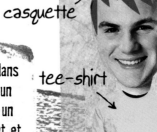

casquette

tee-shirt

3

débardeur

1

ceinture    jupe

chaussures

**A** Voilà ce que je préfère pour aller au collège : un tee-shirt sur un autre à manches longues, un jean large et des chaussures de skate. C'est décontracté, simple et confortable.

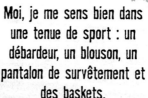

**B** Moi, je me sens bien dans une tenue de sport : un débardeur, un blouson, un pantalon de survêtement et des baskets.

**C** Dans mon pays, au Japon, on porte toujours un uniforme : veste, cravate et chemise, pantalon pour les garçons, jupe pour les filles. Il y en a qui ne le supportent pas, mais moi, notre uniforme, je le trouve très pratique.

**3** **Décris et commente le look de ces jeunes.**

2

sweat

**D** Dans mon collège, je ne peux pas m'habiller comme je veux, on contrôle la tenue, alors j'ai opté pour le classique jean / tee-shirt / baskets : des jupes et des robes, j'en porte seulement le week-end ou pour les grandes occasions.

chaussettes →    baskets

*Quel est ton look préféré pour aller au collège ? Et le week-end ?*

## Pour bien prononcer

*Quatre grands guépards très coquets et un peu fous jouent de la guitare avec quinze kangourous.*

| J'ENTENDS | J'ÉCRIS |
|-----------|---------|
| [k] | c (coquets) |
| | qu (quatre) |
| | k (kangourous) |
| [g] | g (grands) |
| | gu (guépards) |

veste

chemise

cravate

4

foulard

robe

5

bottes

blouson

survêtement

6

**FAIRE DES APPRÉCIATIONS SUR DES VÊTEMENTS**

C'est très bien.
Ça fait classe.
C'est pratique… confortable…
C'est affreux… démodé…
C'est pas mal.
Ce n'est pas si mal que ça.
J'aime bien.

**Écoute et chante.**

**E** Moi, j'aime bien les vêtements noirs. Le noir, ça fait classe. Je l'adore, cette couleur. Je la porte été comme hiver.

**F** Des chemises, je n'en mets jamais, ce n'est pas confortable. Je préfère les sweats. Je les trouve hyper-confortables.

## Observe et analyse

### LES PRONOMS COD

**A** Observe ces exemples du texte.

> Les sweats, je les trouve hyper-confortables.
> Notre uniforme, je le trouve très pratique.
> Je l'adore, cette couleur. Je la porte été comme hiver.

### LE PRONOM *EN*

**B** Observe. Que remplace le pronom *en* ?

> Elle a un chapeau ? Oui, elle en a un. Non, elle n'en a pas.
> Il porte une chemise ? Oui, il en porte une. Non, il n'en porte pas.
> Tu mets des lunettes ? Oui, j'en mets. Non, je n'en mets pas.

**C** Que remplacent ces pronoms ? Où se placent-ils dans les phrases affirmatives ?
Que se passe-t-il à la forme négative ? Compare avec ta langue.

**4** **BIP BIP.** Écoute et réponds en utilisant un pronom COD.

*Exemple : Tu aimes les couleurs pastel ?*
BIP : *Oui, je les aime. Non, je ne les aime pas.*

**5** **Jeu : Devinez à qui je pense… !**
Observe bien tous / toutes tes camarades et photographie mentalement la tenue de l'un(e) d'entre d'eux / elles.
Les autres devinent à qui tu penses.

Il porte des baskets noires ? Non, il n'en porte pas.

Il porte un tee-shirt bleu ?

Non, il n'en porte pas.

Il a des lunettes. Oui, il en a.

# MODULE 4 LEÇON 3

- Demander son avis à quelqu'un
- Donner son opinion
- Exprimer la négation

# L'uniforme au collège : pour ou contre ?

## 1 Des jeunes donnent leur avis.

 Écoute et lis ces opinions.

- Vous savez... je crois que l'uniforme va être obligatoire à partir de l'année prochaine.
- Ce n'est pas possible, ça !
- Mais si, j'ai entendu ça, hier, au journal télévisé.
- Non, non, non, c'est de la folie... Tout le monde pareil... c'est horrible !!! Si on n'a plus la liberté de s'habiller comme on veut, ça va être mortel !!!
- Ben, non. Moi... je trouve que c'est pratique. Je déteste passer des heures à chercher dans mon armoire. Tu mets ton uniforme et c'est tout...
- Ah, non... moi, je suis tout à fait contre. Avec l'uniforme, tu ne peux pas montrer ta différence.
- Ben, justement... l'uniforme c'est très bien parce que ça efface les différences sociales, plus de marques, plus rien, tout le monde en bleu marine !
- Non mais, ça ne va pas la tête ???!!!

## 2 Quels sont les arguments pour ?
Et les arguments contre ?

*Et vous, qu'en pensez-vous ?*
*Vous êtes « pour » ou vous êtes « contre » ?*
*Donnez votre avis !!!*

### Pour t'aider

**DONNER SON OPINION**
À mon avis,...
D'après moi,...
Moi, je trouve que...
Je pense que...
Je crois que...
Je suis pour...
Je suis contre...

**DEMANDER SON AVIS À QUELQU'UN**
Qu'est-ce que tu en penses ?
D'après toi, c'est une bonne idée ?
Tu es d'accord ?

### Pour bien prononcer

*Didier dîna, dit-on, des dix dos tendres et dodus de dix dodus et tendres dindons.*

| J'ENTENDS | J'ÉCRIS |
|-----------|---------|
| [ t ] | t (tendre) |
| | tt (coquette) |
| [ d ] | d (dix) |

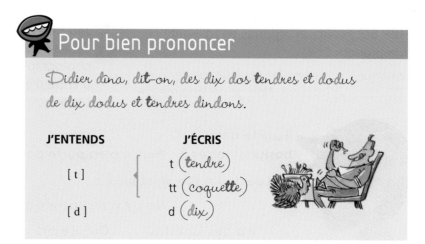

# Le scooter à 14 ans

**3** Écoute et lis ces opinions.

« Je suis carrément contre ! C'est nul, ça fait trop de bruit, ça casse les oreilles, et en plus ça pollue. »

Julie, 13 ans.

« Moi, je suis pour, mais il n'y a rien à faire avec mes parents. Mon cousin en a un et il a eu un accident. Alors maintenant ils ne veulent plus entendre parler de scooter ! »

Samia, 15 ans.

« Moi, j'ai trois frères et une sœur et personne n'a de scooter. La raison est simple. Mes parents ne veulent pas du tout. Ils trouvent ça beaucoup trop dangereux. Je n'ai jamais insisté parce que je suis plutôt d'accord avec eux. »

Alex, 15 ans.

« Je suis pour, j'en ai un, j'en ai besoin pour aller au collège parce que j'habite à la campagne... mais je suis responsable. Mes parents me font confiance car ils savent que je ne fais jamais de folies. »

Félix, 16 ans

**4** Ferme ton livre et réponds à la fiche Diversité.

Diversité

**5** Laquelle de ces opinions te semble la **plus radicale ?** La plus raisonnable ? Quel est l'argument le plus utilisé ?

**6** BIP BIP. Dis le contraire.
 *Exemple : Il est toujours content. BIP : Il n'est jamais content.*

**7** Pensez à un sujet polémique. À l'aide de 3 arguments « pour » et de 3 arguments « contre », faites deviner de quoi vous parlez.

## Observe et analyse

**LES NÉGATIONS**

**A** Observe ces phrases.

> Je **ne** suis **pas** d'accord.
> Tu **ne** dis **rien** ?
> Elle **ne** connaît **personne** dans cette classe.
> Il **ne** porte **jamais** de vêtements de marque.
> Je **n'**ai **plus** mon scooter, on me l'a volé.

**B** Quelle partie de ces négations est commune ? Quelle partie varie ?

**C** Relève les négations apparues dans les textes de cette leçon.

# DOC LECTURE : CALLIGRAMMES

**1** **Lis et observe ces calligrammes.**

**a)** À quoi la forme vous fait-elle penser ?
**b)** Quelle est la relation entre le texte et le contenu ?

Cette énorme vague que j'entends

Venue de l'autre bout de l'océan
Se jette sur la plage pleine d'élan
Et meurt très vite en un instant

LA CRAVATE

DOU
LOU
REUSE
QUE TU
PORTES
ET QUI T'
ORNE O CI
VILISÉ
OTE-       TU VEUX
LA         BIEN
SI         RESPI
           RER

Guillaume Apollinaire

A Paris
Sur un cheval gris
A Nevers
Sur un cheval vert
A Issoire Sur un cheval noir
AH! QU'IL EST BEAU !
QU'IL EST BEAU !
AH! QU'IL EST BEAU !
QU'IL EST BEAU !
TIOU!

Max Jacob

**2** **Expliquez ce qu'est un calligramme.**

# Guillaume Apollinaire

(Wilhem Apollinaris de Kostrowitzky de son vrai nom) est né à Rome en 1880. Il habite ensuite à Paris, où il vit pauvrement avec sa mère et son frère. Il exerce différentes professions mais ce qu'il aime surtout, c'est écrire ! Il réussit à publier des poèmes dans des journaux et devient enfin célèbre. Les peintres Picasso et Braque sont ses amis.
En 1915, durant la Première Guerre mondiale, il est blessé à la tête par un éclat d'obus. Il reprend sa vie d'artiste après la guerre, mais il tombe malade et meurt en 1918 à l'âge de 38 ans.

# Projet Calligrammes

Création de calligrammes ayant la forme des vêtements portés par un personnage.

- Par petits groupes, choisir un personnage. Se mettre d'accord sur son apparence et sur les vêtements qu'il / elle porte. (Il doit y avoir autant de vêtements qu'il y a d'élèves dans le groupe).

- Dessiner le personnage sur une grande feuille. Découper ensuite ses vêtements.

- Chaque membre du groupe choisit un de ces vêtements et note tous les mots que celui-ci lui suggère (couleurs, utilité, provenance, etc.).

- Pour élaborer le texte du calligramme, il faut utiliser ensuite des comparaisons, donner son opinion, critiquer ou exalter les caractéristiques du vêtement.

- Ensuite, il faut recopier son calligramme en grosses lettres directement sur la pièce de vêtement découpée.

- Mettre en place les grands calligrammes « vêtements » pour créer le personnage et terminer la composition en dessinant les parties manquantes.

## GRANDE EXPOSITION DES PERSONNAGES !!!

@ Envoyez vos résultats à vos correspondant(e)s.

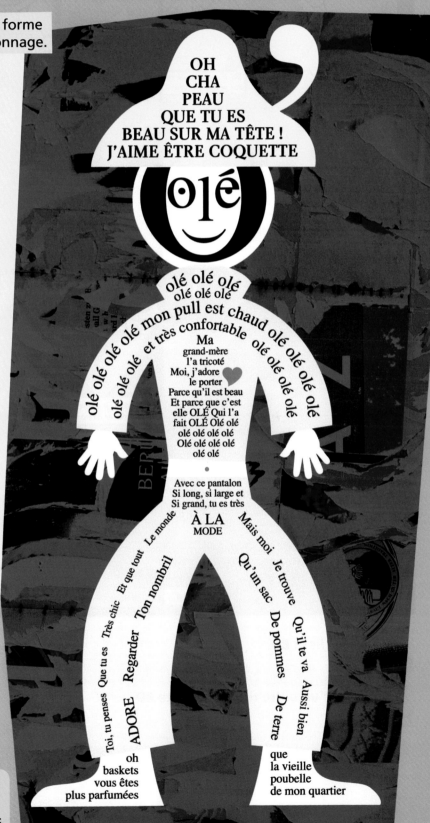

# B.D. Qu'est-ce qu'elle a, ma casquette ?

1 Écoute et lis la BD.

2 Choisissez un autre titre pour cette BD.

3 Résumez cette histoire.

4 Écoute et lis à haute voix.

## TEST DE COMPRÉHENSION ORALE !!!

### Attention, fragile !

Cahier d'exercices, page 50.

# TEST 40 / 40 à l'oral

## Aide-mémoire

**On a travaillé dans ce module :**

- Les expressions pour...
  - faire des comparaisons, p. 36, 37
  - décrire le look de quelqu'un, p. 38, 39
  - faire des appréciations, p. 38, 39
  - demander son avis à quelqu'un et donner son opinion, p. 40, 41

- Les comparatifs et les superlatifs, p. 36, 37
- Les pronoms personnels COD *le, la, les*, p. 38, 39
- Le pronom *en*, p. 38, 39
- La négation, avec *ne ... pas, ne ... rien, ne ... personne, ne ... jamais, ne ... plus,* p. 40, 41

**1** **Bip, Bip, réponds vite. Écoute et réponds à ces questions.**

10 Questions, 10 Points !!!!

/ 10

**2** **Décris Morgane et son copain Maltus, puis donne ton opinion sur leur look.**

/ 10

**3** **Réponds en utilisant un pronom.**

1) Tu portes l'uniforme du collège, le week-end ?
2) Tu as des baskets de marque ?
3) Tu portes des lunettes ?
4) Tu aimes les jeans ?
5) Tu apportes ta calculette au collège ?
6) Tu aimes le look des rappeurs ?
7) Tu as un piercing ?
8) Tu regardes tes messages textos en cours ?
9) Tu as une casquette ?
10) Le dimanche, tu portes des vêtements plus élégants ?

/ 10

**4** **Lis ces étiquettes. Donne ton opinion ou demande leur avis à tes copains.**

Abolition de tous les examens !

VIVE L'UNIFORME !

Un seul mois de vacances !

/ 5

**5** **Compare et commente les avantages et les inconvénients du scooter et du vélo.**

confortable économique dangereux
polluer pratique
problèmes pour garer faire du bruit
gagner du temps
rapide

/ 5

SCORE : / 40

# Claudette et son tableau

**1** **Écoute et lis.**

① C'est incroyable ! Je viens de vendre mon premier tableau !!! Je ne sais pas combien on me le paiera, mais ce sera sûrement beaucoup d'argent !

② Avec cet argent, je ferai une grande fête. Tous mes amis viendront. J'inviterai aussi plein de gens importants du monde de la peinture. Ils admireront mes tableaux. Ils me proposeront des expositions partout dans le monde…

③ Je ferai des conférences… J'aurai beaucoup de succès. Je serai une artiste de renommée mondiale !

De la part de Madame de Spinoza.

Pour moi ? Merci.

Est-ce que ce sera suffisant pour un petit apéritif ?!

Pour Claudette

**2** **Réponds : vrai ou faux ?**

a) Claudette a vendu un tableau.
b) La jeune fille est réaliste.
c) Elle reçoit beaucoup d'argent.
d) Elle pourra réaliser tous ses rêves.
e) Elle accepte cette situation avec humour.

**3** **Quels autres rêves fait Claudette avant d'arriver chez Mme de Spinoza ?**

Imagine…

 **4** **À chacun son rêve.**

Inventez une autre histoire sur ce modèle.

# Rendez-vous sur le chat

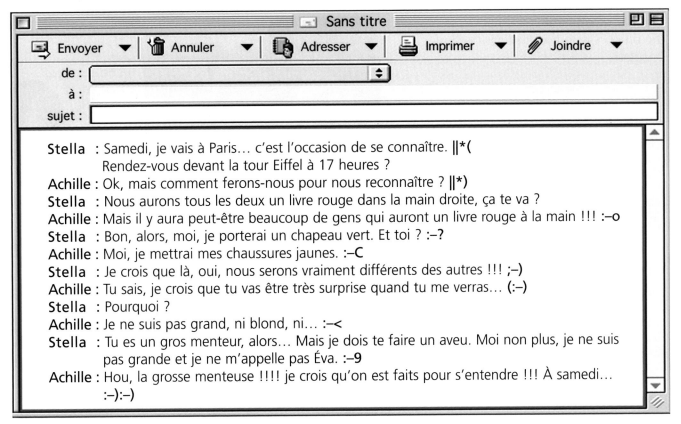

| | Sans titre |
|---|---|
| Envoyer ▼ | Annuler ▼ | Adresser ▼ | Imprimer ▼ | Joindre ▼ |

de :

à :

sujet :

Stella  : Samedi, je vais à Paris… c'est l'occasion de se connaître. ||*(
Rendez-vous devant la tour Eiffel à 17 heures ?

Achille : Ok, mais comment ferons-nous pour nous reconnaître ? ||*)

Stella  : Nous aurons tous les deux un livre rouge dans la main droite, ça te va ?

Achille : Mais il y aura peut-être beaucoup de gens qui auront un livre rouge à la main !!! :–o

Stella  : Bon, alors, moi, je porterai un chapeau vert. Et toi ? :–?

Achille : Moi, je mettrai mes chaussures jaunes. :–C

Stella  : Je crois que là, oui, nous serons vraiment différents des autres !!! ;–)

Achille : Tu sais, je crois que tu vas être très surprise quand tu me verras… (:–)

Stella  : Pourquoi ?

Achille : Je ne suis pas grand, ni blond, ni… :–<

Stella  : Tu es un gros menteur, alors… Mais je dois te faire un aveu. Moi non plus, je ne suis pas grande et je ne m'appelle pas Éva. :–9

Achille : Hou, la grosse menteuse !!!! je crois qu'on est faits pour s'entendre !!! À samedi…
:–):–)

**5  Que feront Achille et Stella pour pouvoir se reconnaître ?**

**7  Achille et Stella se sont dits d'autres mensonges.** Imaginez lesquels.

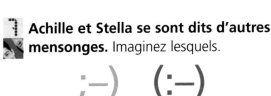

;–)     (:–)

**6  Que se passera-t-il pendant cette première rencontre ?** Imaginez.

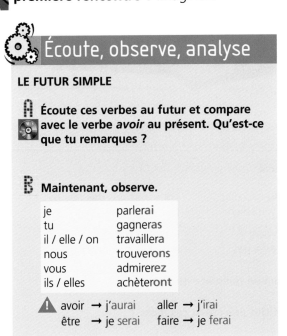

## Écoute, observe, analyse

**LE FUTUR SIMPLE**

**A  Écoute ces verbes au futur et compare avec le verbe *avoir* au présent. Qu'est-ce que tu remarques ?**

**B  Maintenant, observe.**

| | |
|---|---|
| je | parlerai |
| tu | gagneras |
| il / elle / on | travaillera |
| nous | trouverons |
| vous | admirerez |
| ils / elles | achèteront |

⚠ avoir → j'aurai    aller → j'irai
être → je serai    faire → je ferai

## Pour bien prononcer

Stanislas, un spécialiste scandinave spécialement spécialisé dans les spécimens de l'espèce, a spontanément stérilisé un squelette sculptural.

| J'ÉNTENDS | J'ÉCRIS |
|---|---|
| [ st ] | st (Stanislas) |
| [ sp ] | sp (spécialiste) |
| [ sk ] | sc (scandinave) |
| | sq (squelette) |

# Aujourd'hui, on fait des courses

baguettes

pain complet

gâteau au chocolat

croissa-

tarte aux pommes

FRUITS ET LÉGUMES À LA BONNE POIRE

carottes

pommes de terre

oignons    poires

tomates

bananes

Charcuterie Jean Bon

foie-gras

LES DOR Foie-gr-

pâté

jambon

saucisses

**1 Écoute et observe.** Quel est le produit qu'on oublie de nommer dans chaque magasin ?

**2 Écoute.** Où est-ce que tu entends ces phrases ? Qui parle : vendeur(euse) ou client(e) ?

## On peut dire :

« Je vais **à la boulangerie.** » ou
« Je vais **chez le boulanger / chez la boulangère.** »

« Je vais **à la charcuterie.** » ou
« Je vais **chez le charcutier / chez la charcutière.** »

**3 BIP BIP.** Écoute et réponds.
Où vas-tu acheter ces produits ?

*Exemple : Une boîte de sardines. BIP :
À l'épicerie.*

**4 Jeu de mémorisation : À la chaîne.**
Je suis allé(e) au supermarché et j'ai acheté…

**Élève A :** Je suis allé(e) au supermarché et j'ai acheté du poulet.

**Élève B :** Je suis allé(e) au supermarché et j'ai acheté du poulet et du jambon…

Continuez !

**5 Quelle est ta profession ?**
Tu es commerçant(e). La classe devine ce que tu vends exactement.

- Tu vends des croissants ?
- Non, je n'en vends pas.
- Tu vends des pommes ?
- Non, je n'en vends pas…

Continuez !

## Observe et analyse

### LE PRONOM *EN*

| | |
|---|---|
| Tu veux **du** chocolat ? | Vous avez pris **des** oranges ? |
| Oui, j'**en** veux bien. | Oui, j'**en** ai pris 2 kg. |
| Il a **de l'**argent ? | Elle mange **de la** viande ? |
| Non, il n'**en** a pas. | Non, elle n'**en** mange pas. |

**A** Le pronom *en* remplace quels mots ?

**B** Quels articles précèdent ces mots ?

Boucherie
Marcel Leveau et fils

rôti

salami

côtelettes

poulet

bifteck

ioches

Poulet

Épicerie hez Momo

fruits

RIZ
PRIX CHOC

riz

boîtes de conserve

MIGNON

eau minérale

HUILE D'OLIVE EXTRA VIERGE

pâtes

crème fraîche

Crème fraîche Viva

huile d'olive

Saucisson Sec pur porc

crème fraîche

Crème fraîche Viva

œufs

cisson

Lait

lait

yaourts

La Vache che
yaourt
pomme
nme

Crémerie
Rica Membert

fromage

## 7 Écoute et lis ces conversations.
Imite bien les intonations.

### Situation 1
- Bonjour Mme Leblanc, qu'est-ce que ce sera aujourd'hui ?
- Je voudrais une boîte de sardines « Sardour ».
- Oh, je suis vraiment désolée, il ne m'en reste plus mais j'ai un thon de la même marque qui est ex-cel-lent et très bon marché.
- Bon, bon, d'accord. J'en prends une boîte… Donnez-moi aussi un paquet de spaghettis « Le coq ».
- Désolée, mais…

### Situation 2
- C'est à qui le tour ?
- À moi ! Vous avez des mandarines ?
- Bien sûr que j'en ai, elles sont là !
- Combien elles coûtent ? Oh là là, quel prix !!!
- Eh oui, elles sont chères mais elles sont délicieuses. Goûtez-en une, vous verrez. C'est des vraies bio, 100 % écologiques…
- Mmm… alors là oui… Quel délice !
- Alors, combien vous en voulez ? 2 kg ? 10 kg ?

### Situation 3
- Vous désirez ?
- Du jambon, s'il vous plaît.
- Du jambon blanc ou du jambon de pays ?
- Du blanc, s'il vous plaît.
- Du jambon italien, espagnol, français ?
- Du jambon italien.
- Une tranche, 2 tranches, 3 tranches ?
- Heu… J'en prendrai…

## 8 Faire des courses peut être une chose très compliquée. Choisissez un des dialogues et inventez la fin de la situation.

## 6 Écoute ces conversations et réponds.

a) Qui parle ? Dans quel magasin ?
b) Quels sont les produits demandés ?
c) Fais la liste des expressions utiles pour demander un produit, un prix.
d) Quelles expressions utilisent les commerçants pour savoir ce que désirent les clients ?

## 9 Comédie musicale. Écoutez et mettez un des dialogues en musique.

Vous désirez ?

Du jambon, s'il vous plaît.

MODULE 5 LEÇON 3
- Demander / Indiquer son chemin à quelqu'un
- Indiquer la provenance

# En ville

**1 Écoute.** Observe le plan. C'est quel numéro ?

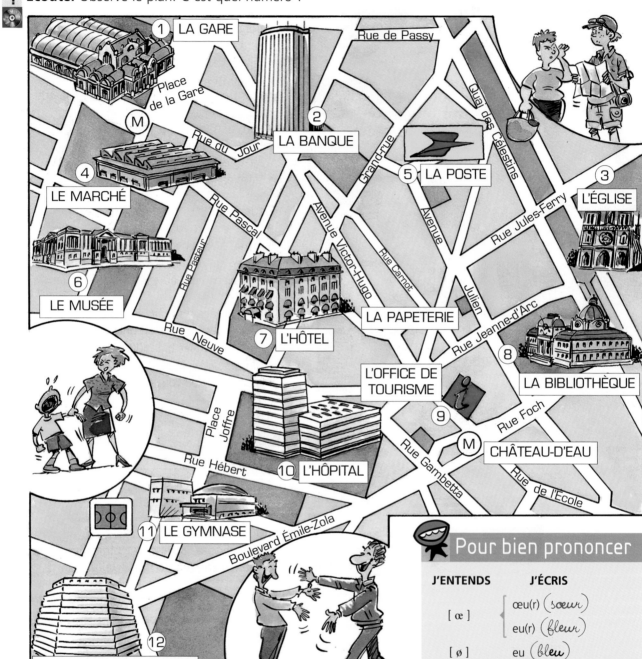

Map labels:
- 1 LA GARE
- Rue de Passy
- Place de la Gare
- M
- Rue du Jour
- 2 LA BANQUE
- Grand-rue
- Quai des Célestins
- 5 LA POSTE
- 3 L'ÉGLISE
- 4 LE MARCHÉ
- Rue Pascal
- Avenue Victor-Hugo
- Rue Carnot
- Avenue
- Rue Jules-Ferry
- 6 LE MUSÉE
- Rue Pasteur
- LA PAPETERIE
- Julien
- Rue Jeanne-d'Arc
- Rue Neuve
- 7 L'HÔTEL
- 8 LA BIBLIOTHÈQUE
- L'OFFICE DE TOURISME
- 9
- Rue Foch
- Place Joffre
- M CHÂTEAU-D'EAU
- Rue Hébert
- 10 L'HÔPITAL
- Rue Gambetta
- Rue de l'École
- 11 LE GYMNASE
- Boulevard Émile-Zola
- 12 LES GRANDS MAGASINS

**Pour bien prononcer**

| J'ENTENDS | J'ÉCRIS |
|---|---|
| [ œ ] | œu(r) (sœur) |
| | eu(r) (fleur) |
| [ ø ] | eu (bleu) |
| [ ɔ ] | o(r,l) (ordinateur) |

*Ma sœur est espagnole.*
*Elle adore le bleu,*
*les jeux d'ordinateur,*
*les consoles et les fleurs.*

**2 Où vas-tu pour…**

a) faire du sport.
b) retirer de l'argent.
c) prendre un train.
d) acheter des pommes.
e) envoyer un paquet.
f) demander un plan de la ville.

**3 Écoute et observe les personnages.**
Qui parle ? Quel est le problème ?

**4** Écoute Benjamin et indique sur le plan où se trouve exactement son appartement.

Allô Benjamin ? C'est Richard, salut !
Tu peux me redonner ton adresse ? J'ai perdu le petit papier…

Bien sûr, je te ré-explique.
Comment tu viens ? en voiture ?

Non, non, je vais venir en métro.

OK. Alors, il faut prendre la ligne 4 et descendre à Château-d'eau…

*30 minutes plus tard.*

- Allô, oui ?
- Salut Ben, me revoilà ! Je suis à Château-d'eau, à la sortie rue Foch et qu'est-ce que je fais, maintenant ?
- Bon, euh, prends juste en face la première rue à gauche, puis continue tout droit… Tu passeras devant une papeterie et là tu traverses, tu tournes à droite : c'est la rue Jules-Ferry. Moi, j'habite au n° 37.
- Oh là là… Je crois que je vais oublier tout ça.
- Bon, si tu te perds, tu me rappelles. OK ?
- OK. À tout à l'heure. Ciao !

*Quelques minutes plus tard.*

Ringgggg !!!!

- Ben ? Oui, c'est encore moi…

## COMMENT IRA-T-ELLE EN CHINE ?

en voiture ?    en vélo ?    à pied ?    en moto ?    en train ?

en bus ?    en bateau ?    en avion ?    en métro ?    en parachute ?

*Et toi, quel(s) moyen(s) de transport tu utilises ?*

### Pour t'aider

**DEMANDER SON CHEMIN**
S'il vous plaît, pour aller Place… ?
Pourriez-vous me dire où se trouve la place… ?

**DONNER DES INDICATIONS**
Il faut tourner à droite.
prendre la troisième rue à gauche.
traverser l'avenue.
continuer tout droit.
tourner tout de suite à gauche.

**5** Tu es un(e) touriste égaré(e) dans cette ville. Demande ton chemin.

**6** Jeux d'orientation. Écoute bien les consignes pour ne pas te perdre.

 Diversité

### Écoute, observe, analyse

**LE VERBE *VENIR* ET LA PROVENANCE**

**A** Écoute et observe le verbe *venir* au présent.

| | |
|---|---|
| je viens | nous venons |
| tu viens | vous venez |
| il / elle / on vient | ils / elles viennent |

**Quelles personnes se prononcent de la même manière ? Quelle différence tu entends entre les 3 personnes du singulier et la 3e personne du pluriel ?**

**B** Observe.

Il vient du cinéma.
de l'école.
de la plage.
des Pyrénées.
de Paris.

**Comment indique-t-on la provenance ?**

## DOC LECTURE

# Bienvenue en Avignon

Avignon se trouve au carrefour de la Provence, du Languedoc, proche de la Méditerranée, entre l'Italie et l'Espagne. Le climat y est méditerranéen, tempéré et venté avec 300 jours de soleil par an.

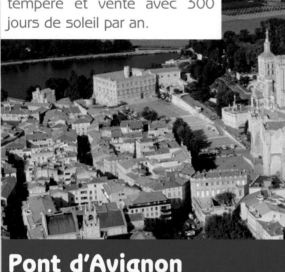

## Pont d'Avignon

Le pont St-Bénezet, édifié au XII$^e$ siècle, est détruit en 1226 lors de la Croisade des Albigeois. On le reconstruit, mais la montée des eaux du Rhône le détériore d'année en année. Il est définitivement abandonné au XVII$^e$ siècle.

## Le Palais des Papes

« La plus belle et la plus forte maison du monde » : le Palais des papes, résidence des souverains pontifes au XIV$^e$ siècle, est le plus important palais gothique au monde.

Ces deux monuments sont classés patrimoine mondial par l'UNESCO

## La chanson la plus célèbre

*Sur le pont d'Avignon*
*L'on y danse, l'on y danse*
*Sur le pont d'Avignon*
*L'on y danse tous en rond.*
*Les beaux messieurs font comme ça*
*Et puis encore comme ça.*
*Sur le pont d'Avignon*
*L'on y danse tous en rond.*
*...*
*Les belles dames font comme ça...*

## Une ville culturelle

Avignon est non seulement ville patrimoine, c'est aussi une ville de culture vivante. Son festival de théâtre du mois de juillet est le plus ancien et le plus célèbre de France. Mais c'est aussi une ville de création active tout au long de l'année, avec ses théâtres permanents, ses galeries d'art, ses cinémas, ses associations de musique, de danse…

## Balades en ville

Parcourez les rues commerçantes de la zone piétonne, vous y trouverez tissus de Provence, céramiques et poteries, santons et autres spécialités de la région.
Vous découvrirez la gastronomie locale… goûtez les « papalines », spécialité de la ville, composée de chocolat fin, de sucre et de liqueur d'origan. Dégustez aussi les fameux Côtes du Rhône, vins célèbres dont Avignon est la capitale.

**Office de Tourisme d'Avignon - France**

FRANCE
Provence
Languedoc  **Avignon**  ITALIE
ESPAGNE  Mer Méditerranée

# Projet

# Venez chez nous

Vous habitez sûrement dans une ville ou dans une région merveilleuse.
Par groupes, préparez un itinéraire qui donne vraiment envie de la visiter.

Vous pouvez expliquer :
Comment y arriver.
Ce qu'il faut visiter.
Comment profiter au maximum du séjour (loisirs, balades, sport, gastronomie, artisanat, tradition…).
Ce qu'on peut emporter comme souvenir.
N'oubliez surtout pas de raconter les curiosités les plus surprenantes !

Affichez ces itinéraires.
Inventez un slogan, collez des photos, des cartes postales…

Envoyez votre programme à vos correspondant(e)s.

---

**1** **Survole le texte.** Dis si ce document est…

**a)** la publicité de l'hôtel « Palais des Papes ».
**b)** une brochure de l'Office de tourisme.
**c)** un programme électoral de la Mairie d'Avignon.

**2** **Lisez ce document.** Quelles informations avez-vous retenu sur cette ville ?

**3** **Vous avez passé un week-end formidable à Avignon.**
Qu'est-ce que vous avez fait ? Qu'avez-vous visité ?
Racontez-le à un(e) de vos ami(e)s.

# B.D. On fait des crêpes ?

**1** Écoute et lis la BD.

**2** Choisissez un autre titre pour cette BD.

**3** Résumez cette histoire.

**4** Écoute et lis à haute voix.
Imite les intonations.

## TEST DE COMPRÉHENSION ORALE !!!

*J'adore les surprises !*

Cahier d'exercices, page 62.

# TEST 40 / 40 à l'oral

## Aide-mémoire

**On a travaillé dans ce module :**
- Les expressions pour...
  - faire des prévisions au futur, p. 46, 47
  - demander un produit dans un magasin, p. 48, 49
  - dire et demander son chemin, p. 50, 51
  - indiquer la provenance, p. 51

- Le futur simple des verbes réguliers et quelques irréguliers, p. 46, 47
- Les magasins et leurs articles, p. 48, 49
- Le pronom *en*, p. 48, 49
- Le verbe *venir* + *du / de la / de l'*, p. 51
- La ville et les moyens de transports, p. 50, 51

**1** Bip, Bip, réponds vite. **Écoute et réponds à ces questions.**

10 Questions, 10 Points !!!!

⟩ 10

**2** **Quel super-bon week-end !!!**
Tu as une baguette magique. Dis 6 choses fantastiques qui t'arriveront ce week-end.

⟩ 3

**3** **Tu es dans une épicerie et tu veux acheter ces produits. Qu'est-ce que tu dis à l'épicière ?**

⟩ 4

**4** Où achètes-tu ces produits ?

⟩ 4

**5** **Quel(s) moyen(s) de transport tu utilises normalement pour...**

**1)** aller à l'école ?
**2)** partir en vacances ?
**3)** te déplacer dans ta ville ou ton village ?

⟩ 4

**6** **Réponds négativement aux questions.**

**1)** Vous voulez du poisson ?
**2)** Tu prends du fromage ?
**3)** Elle mange de la viande ?
**4)** Ils boivent du chocolat ?

⟩ 3

**7** Observe ce plan.

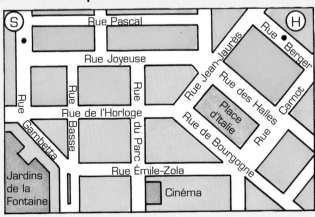

**a)** Tu es Place d'Italie et tu veux aller aux jardins de La Fontaine. Pose la question de 4 façons différentes.

⟩ 6

**b)** Stanislas (S) et Hélène (H) ont pris rendez-vous devant le cinéma. Qu'est-ce qu'ils vont faire pour y arriver ?

⟩ 6

SCORE : ⟩ 40

# Au restaurant

**1** **Observe les photos.** Décris-les.

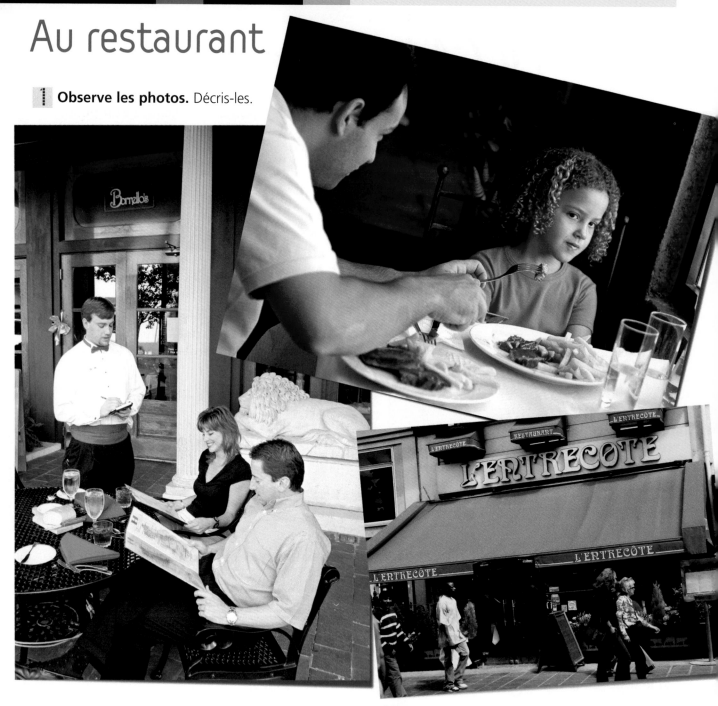

**2** **Écoute et réponds aux questions.**

Situation 1 :
**a)** Quelle est l'opinion du serveur sur les plats du restaurant ?
**b)** C'est une opinion objective ? Pourquoi ?

Situation 2 :
**a)** Quels plats commande la cliente ?
**b)** Que répond le serveur ?
**c)** Pourquoi la cliente commande ces plats ?

Situation 3 :
**a)** Qui parle ?
**b)** La petit fille n'a plus faim ?

 **Pour t'aider**

**COMMANDER DANS UN RESTAURANT**

- Vous avez choisi ?
- Vous désirez… ?
- Qu'est-ce que vous allez prendre ?
- Qu'est-ce que vous voulez comme boisson ?

■ Comme entrée, je voudrais…
■ Comme dessert, je vais prendre…
■ Apportez-moi une carafe d'eau, s'il vous plaît.

■ Garçon, l'addition s'il vous plaît !

## Chez Philippe

### Entrées
Assiette de crudités
Pâté de campagne
Salade aux noix
Soufflé au fromage

### Poissons
Saumon sauce blanche
Saule à la meunière
Dorade au sel

### Viandes
Lapin à la moutarde
Entrecôte au roquefort
Poulet au raisin

### Desserts
Tarte aux fraises
Mousse au chocolat
Sorbet au citron

**4**  **BIP BIP.** Lis la carte, choisis ton menu et réponds au serveur.

## Écoute, observe, analyse

**L'IMPÉRATIF ET LES PRONOMS COD :
FORME AFFIRMATIVE / FORME NÉGATIVE**

> Goûtez ces crudités.
> Goûtez-les.
> Ne goûtez pas ces crudités.
> Ne les goûtez pas.
>
> Prenez des pommes.
> Prenez-en.
> Ne prenez pas de pommes.
> N'en prenez pas.

**A** Où se placent les pronoms COD à l'impératif ?

**B** Écoute ces phrases. Ensuite, répète et insiste en utilisant un pronom.

**3** **Choisissez une de ces 3 situations et jouez la scène.**

Situation 1 :
- ● Bonsoir, vous avez choisi ?
- ■ Pfff… le pâté de campagne, il est comment ?
- ● Oh, il est très bon !!! Prenez-le, vous verrez…
- ▲ Et le soufflé au fromage ?
- ● Oh, alors là, c'est un délice !!! Goûtez-le. Il est extraordinaire.
- ■ Bon, 2 soufflés… ensuite, 2 saumons sauce blanche.
- ● Un conseil : du saumon, mangez-en seulement en hiver. En été, c'est trop gras. Par contre, la dorade au sel : une vraie merveille !!!
- ▲ Eh bien, vous, vous appréciez la cuisine de ce restaurant !
- ● Mais bien sûr ! C'est mon père le cuisinier…

Situation 2 :
- ● Madame, vous avez choisi ?
- ■ Oui, heu… comme entrée, je vais prendre de la soupe de poisson.
- ● Je suis désolé, mais il n'y en a pas.
- ■ Bon, alors, apportez-moi des moules à la catalane.
- ● Excusez-moi… mais on n'en a pas non plus.
- ■ Et du poisson grillé ? Vous en avez, du poisson grillé ???
- ● Heu… non.
- ■ Mais c'est inadmissible ! Pas de poisson dans un restaurant qui s'appelle « Au merlan frit » !
- ● Excusez-moi, Madame : ici, c'est « L'entrecôte ». « Au merlan frit », c'est juste à côté…

Situation 3 :
- ● Allez ma puce, finis ton steak…
- ■ J'ai pas faim.
- ● Mais si chérie, finis-le, il est très bon.
- ■ J'ai pas faim du tout.
- ● Et des frites, tu n'en veux pas ? Manges-en quelques-unes…
- ▲ Excusez-moi, vous avez fini ? Vous allez prendre un dessert ?
- ■ Oui, oui. Moi, je voudrais une tarte aux pommes, une mousse au chocolat et une glace à la pistache !!!

# Ils sont tous suspects !

**1** **Écoute et lis.**

**2** **Relis la BD.** Corrige ces informations qui peuvent être fausses ou à moitié fausses.

**1)** Une journaliste suit un suspect.

**2)** Elle est très énervée et parle toute seule.

**3)** Le suspect met discrètement un paquet dans un sac en plastique.

**4)** Il a rendez-vous dans un parc avec ses complices.

**5)** Un chien très agressif lui fait peur.

**6)** Il donne un paquet à la femme.

**7)** Il montre des documents à la femme.

**8)** La femme lui donne de l'argent.

**9)** L'agent de police intervient et veut arrêter les 3 complices.

**10)** Finalement, les suspects s'expliquent : tout est un malentendu.

 **Trouve une autre fin pour la BD.**

**Jeu de mime.** Mimez une autre situation avec un objet. Le reste de la classe explique et interprète votre histoire.

**Fais le résumé de la BD.**

## Observe et analyse

**LES PRONOMS PERSONNELS COI**

- Elle téléphone à son chef ?
- Oui, elle lui téléphone.

- Il donne un paquet à la femme ?
- Non, il ne lui donne pas un paquet, il lui donne une enveloppe !

- Il a souri à ses voisines ? ■ Oui, il leur a souri.

- Il parle à ses chiens ? ■ Oui, il leur parle.

**A** Observe les pronoms personnels *lui* et *leur*. Ils se réfèrent à des objets ? à des êtres animés ?

**B** Maintenant, observe les verbes des questions. Ils sont tous suivis de quelle préposition ?

**C** Quelle est la place des pronoms COI ? Compare avec ta langue.

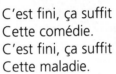 **Parler de lui. Écoute et chante.**

Elle lui sourit.
Il lui sourit.
Elle rougit.
Il rougit.
Elle le regarde.
Il fait semblant
De lire son livre
Qui est devant.

C'est fini, ça suffit
Cette comédie.
C'est fini, ça suffit
Cette maladie.

Lui écrire ?
Pourquoi pas ?
Un petit texto
Sur son portable.
Oh, non.
Ça ne va pas.
Elle ne fera
jamais ça.

C'est fini, ça suffit
Cette comédie.
C'est fini, ça suffit
Cette maladie.

**BIP BIP.** Réponds en utilisant un pronom COI. *Exemples : Il écrit à ses parents ? Oui. BIP : Il leur écrit. Elle envoie un e-mail à Sarah ? Non. BIP : Elle ne lui envoie pas d'e-mail.*

## Pour bien prononcer

*Attention ! Cent seize Suisses se sont assis sur cent seize chaises en suçant cent seize sucettes à la fraise. C'est une compétition ? C'est une tradition ou c'est de la science-fiction ?*

| J'ENTENDS | J'ÉCRIS |
|---|---|
| [ s ] | t(ion) *(attention)* |
| | c(e, i) *(cent)* |
| | s *(seize)* |
| | ss *(assis)* |
| | ç(a, u, o) *(suçant)* |
| | sc *(science)* |
| [ z ] | s *(fraise)* |
| | z *(seize)* |

# Espions en hiver

 **Écoute.** Quelle phrase indique la situation réelle ? Résume cette situation.

C'était l'hiver. Il faisait sombre.

Un homme est apparu au bout de la rue.

Il s'est arrêté devant le n° 82.

D'abord, il a observé discrètement la maison.

Il n'y avait pas de lumière aux fenêtres.

Il a regardé à droite, à gauche… puis il s'est caché derrière un arbre.

Ensuite, il a fait un numéro sur son portable : « Je suis devant chez elle ».

Cinq minutes après, on a entendu un bruit de pas… c'était une femme.

Elle s'est arrêtée un moment pour chercher ses clés dans son sac.

L'homme a regardé une photo, puis il a regardé la femme.

Finalement, il est sorti de sa cachette. Il l'a menacée d'un pistolet : « Donnez-moi les plans ». « Jamais ».

Elle a commencé à courir. L'homme a couru derrière elle.

La femme a eu peur. Elle a poussé un cri et elle est tombée.

Il a pris son sac. Rien ! complètement vide.

« Où sont les plans ? Où sont-ils, bon sang ? »

« Coupez, coupez ! » Ce n'est pas du tout réaliste ! Il faut refaire la scène !!! »

 **Écoute, lis et imite les intonations.**

 **Vous êtes metteurs en scène.** Quelles indications donnez-vous aux 2 acteurs pour jouer la scène ?

**Jouez la scène.** N'oubliez pas les bruitages !

## Raconter une histoire passée

**PLANTER LE DÉCOR**
C'était la nuit noire.
Il faisait froid.
Il n'y avait aucune étoile.

**INDIQUER LES ACTIONS**
Il s'est arrêté.
Elle a poussé un cri.
Elle est tombée.

**5** Écoute, répète et scande.

**D'abord,** un bus
**Ensuite,** l'avion
**Après,** le métro
**Finalement,** Tokyo.

**D'abord,** on a mal joué
**Ensuite,** on a bien joué
**Après,** on a marqué
**Finalement,** on a gagné.

**D'abord,** la guitare
**Ensuite,** la batterie
**Après,** le violon
**Finalement,** une chanson.

**D'abord,** j'ai eu 2 tortues
**Ensuite,** un très gros boa
**Après,** beaucoup d'escargots
**Finalement,** ma chambre, c'est un vrai zoo.

**D'abord,** prendre un bon fromage et le couper en dés
**Ensuite,** laver 4 tomates rouges et les vider
**Après,** les farcir avec les dés du bon fromage fermier
**Finalement,** saler, poivrer et ajouter de l'huile d'olive aromatisée.

## Pour bien prononcer

Diversité

| J'ENTENDS | J'ÉCRIS |
|-----------|---------|
| [ aj ] | aille, ail (*baille*) |
| [ uj ] | ouille (*grenouille*) |
| [ ɛj ] | eille, eil (*oreilles, vieil*) |
| [ œj ] | euil, euille, œil (*écureuil*) |

*Une vi**eil**le grenouille qui b**aille** sous une feuille a été rév**eill**ée par un vi**eil** écureuil qui a très mal aux or**eilles**.*

**6** Inventez d'autres séries et récitez-les sur une nouvelle base rythmique de votre choix.

# VRAI OU FAUX ? Taille, poids, attention

## 1 On a la même taille que ses parents

**Vrai...** Pour avoir une idée de combien tu pourrais mesurer, les spécialistes calculent ta « taille cible » à partir de celle de tes parents :

$$\text{Taille cible d'1 fille} = \frac{\text{taille de sa mère + (taille de son père - 12 cm)}}{2}$$

$$\text{Taille cible d'1 garçon} = \frac{\text{taille de son père + (taille de sa mère + 12 cm)}}{2}$$

**...et faux.** Cette formule a ses limites car deux frères ou deux sœurs n'ont pas forcément la même taille. D'autres facteurs entrent en jeu comme l'alimentation, les modes de vie... Et puis tes parents peuvent être de taille très différentes. De qui vas-tu tenir ? C'est la loterie génétique qui en décidera.

## 2 Les filles grandissent plus vite que les garçons

**Vrai.** Chez les filles, la croissance s'accélère pendant la 1$^{re}$ moitié de la puberté alors que chez les garçons, cela a lieu durant la 2$^e$ moitié. Et comme les filles entament leur puberté en moyenne 2 ans avant les garçons, elles grandissent plus vite... mais s'arrêtent aussi plus tôt.

## 3 Le basket, ça fait grandir

**Faux.** C'est le physique qui fait le sportif, pas le contraire. Les sportifs de haut niveau, eux, sont passés par toute une série de sélections qui font le tri entre ceux dont le physique est adapté à la discipline et les autres. Pour prendre l'exemple du basket, ce sont les plus grands qui ont le plus de chances de faire une belle carrière... même s'il y a toujours des exceptions, comme le « petit » Tony Parker.

---

**1** **Observe les illustrations de ce document.** Quelles sont les informations qu'elles t'apportent ?

**2** **Lis seulement le titre de chaque paragraphe.** Qu'est-ce que tu en penses ? C'est vrai ou faux ?

**3** **Lis chaque paragraphe et vérifie si tu as des idées fausses sur ce sujet.**

**4** **Calcule ta taille cible.**

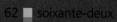

# ux idées fausses. La preuve par quatre !

## 4 Faire trop de sport, ça empêche de grandir

**Faux.** Rien ne prouve scientifiquement que faire trop de sport empêche de grandir sauf, peut-être, la pratique intensive de la gymnastique. Si les médecins recommandent aux ados de ne pas faire de la compétition avant la fin de la croissance, c'est pour protéger leurs os encore fragiles, en particulier au niveau des articulations.

Merci au Docteur Patrick Alvin, chef du service de médecine des adolescents au CHU Bicêtre et
au professeur Régis Mollard, anthropologue, université Paris V.
Texte de François Descombe © Okapi, Bayard Jeunesse, 2003

# Projet Grand concours de connaissances

### ES-TU UN AS EN FRANÇAIS ?

Par groupes de 3, 4 ou 5 personnes, choisissez une de ces rubriques.

Grammaire Vocabulaire phrases et expressions
lecture, phonétique et prononciation
culture, sports, vie quotidienne et géographie française

## LE CONCOURS

### PRÉPARATION PAR ÉQUIPES
- Écrivez 10 questions sur le thème que vous avez choisi.
- Recopiez en majuscules chaque question sur une demie-feuille de papier de couleur.
  (Attention ! chaque rubrique aura une couleur différente !)
- Pliez votre feuille en 4 et mettez-la dans la boîte de la rubrique choisie.

### Réalisation :
- Les différentes équipes participent à tour de rôle.
- Chaque membre de l'équipe peut choisir la rubrique à laquelle il / elle préfère répondre (sauf, bien sûr, la rubrique que son équipe a préparée !). *Par exemple, Sonia choisit « vocabulaire », Ali « sports »…*
- Le meneur de jeu prendra un petit papier au hasard dans la boîte correspondante et lira la question à haute voix.
  Si le concurrent ou la concurrente répond correctement, l'équipe marquera 2 points !!
  Si il / elle se trompe, 0 point !
  Si quelqu'un de son équipe peut répondre à sa place… 1 point !
- Chaque équipe répondra à un total de 10 questions et pourra totaliser un maximum de 20 points !!!

### BONNE CHANCE À TOUS ET À TOUTES !!!

Envoie à ton / ta correspondant(e) les questions les plus amusantes, les plus difficiles. Pourrait-il / elle y répondre ?

# B.D. Les Wims

Au départ, il n'y avait rien.
C'était un désert immense où il faisait très, très chaud.

Puis les Wims sont arrivés.

Ils ont construit des villes.

Un univers terrible et complexe.

Mais un jour, une tempête de sable s'est levée...

Tout a disparu...

et je me suis retrouvé tout seul...

dans le désert !

Le maître du monde !

1 Écoute et lis la BD.

3 Résumez cette histoire en répondant aux questions : quand ? qui ? où ? qu'est-ce qu'ils / elles ont fait ? pourquoi ?

2 Choisissez un autre titre pour cette BD.

4 Écoute et lis à haute voix.
Imite les intonations.

**TEST DE COMPRÉHENSION ORALE !!!**

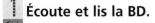

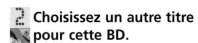

La fête d'anniversaire

Cahier d'exercices, page 74.

# TEST 40 / 40 à l'oral

## Aide-mémoire

**On a travaillé dans ce module :**
- Les expressions pour…
  - commander un menu dans un restaurant, p. 56, 57
  - raconter une histoire au passé : *c'était, il faisait, il y avait*, p. 60
  - indiquer la chronologie dans un récit, p. 61
- L'impératif et les pronoms COD, p. 57
- Les pronoms personnels COI, p. 58, 59
- Révision de tous les pronoms appris, p. 59
- Révision des temps verbaux : passé, présent, futur, p. 58-61

**1** Bip, Bip, réponds vite.
Écoute et réponds à ces questions en utilisant des pronoms.

10 Questions, 10 Points !!!!

/ 10

**2** Complète ce questionnaire en remplaçant ** par un pronom et réponds.

### Comment réagis-tu avec :

**tes parents ?**
1 Tu ** racontes tes problèmes ?
2 Tu ** réponds toujours correctement ?
3 Tu ** écoutes toujours ?
4 Tu ** aides à la maison ?
5 Tu ** accompagnes quand ils sortent ?

**ton meilleur copain ou ta meilleure copine ?**
1 Tu ** téléphones très souvent ?
2 Tu ** invites souvent chez toi ?
3 Tu fais tes devoirs avec ** ou avec ** ?
4 Tu ** écris des petits mots ?
5 Tu ** imites ?

/ 10

**3** La dernière fois que tu es allé(e) au ciné…
1) C'était l'après-midi ou le soir ?
2) Il y avait du monde ?
3) C'était quel jour ?
4) Quel temps faisait-il ?
5) Quel film as-tu vu ? Avec qui es-tu allé(e) ?

/ 5

**4** Aujourd'hui, tu es de bonne humeur, tu acceptes tout. Réponds à ton petit frère…
(Utilise l'impératif et des pronoms.)

Je peux ouvrir la fenêtre ?
Je peux prendre ta console ?
Je peux manger tes bonbons ?
On fait des crêpes ensemble ?

/ 4

**5** Maintenant, tu es de très mauvaise humeur et tu refuses tout ! Réponds en utilisant des pronoms.

/ 4

**6** Raconte ce que tu feras cet après-midi et précise dans quel ordre.

/ 3

**7** Tu es au restaurant. Tu as une faim de loup : tu demandes 3 plats, un dessert et une boisson. Commande ton menu à la serveuse.

/ 4

SCORE : / 40

# Les articles

## Définis

| | masculin | féminin |
|---|---|---|
| **singulier** | le garçon<br>l'arbre<br>l'hôtel | la fille<br>l'école<br>l'histoire |
| **pluriel** | les garçons<br>les arbres<br>les hôtels | les filles<br>les écoles<br>les histoires |

**N'oublie pas !**

On utilise l' devant les mots singuliers féminins ou masculins qui commencent par une voyelle ou par un « h » muet.

## Indéfinis

| | masculin | féminin |
|---|---|---|
| **singulier** | un crayon<br>un ami<br>un hôpital | une gomme<br>une étagère<br>une heure |
| **pluriel** | des crayons<br>des amis<br>des hôpitaux | des gommes<br>des étagères<br>des heures |

**Attention !** Quand le mot commence par une voyelle ou par un « h » muet, il faut faire la liaison.

## Partitifs

▶ Ils indiquent une quantité non déterminée.

| | masculin | féminin |
|---|---|---|
| **singulier** | du chocolat<br>de l'argent | de la farine<br>de l'eau |
| **pluriel** | des raviolis | des fleurs |

J'ai demandé du jambon, pas un jambon !

Elle achète de l'huile d'olive.
Donne-moi du pain, s'il te plaît.

**Attention !** À la forme négative, on utilise pas de ou pas d'.

Il n'a pas d'argent.

Elle ne mange pas de raviolis.

## Contractés

- ◆ à + la = à la
- ◆ à + l' = à l'
- ◆ à + le = au
- ◆ à + les = aux

- ◆ de + la = de la
- ◆ de + l' = de l'
- ◆ de + le = du
- ◆ de + les = des

Les prépositions à et de se contractent obligatoirement avec les articles le et les.

Je vais au (à le) cinéma.
Il habite aux (à les) États-Unis.

Ils viennent du (de le) parc.
Elles sortent des (de les) toilettes.

 **Attention !** Avec la et l', il n'y a pas de contraction : Nous habitons à la montagne.
Ils arrivent de l'aéroport.

# Le présentatif *c'est*

**singulier**   C'est Valérie.
Ce n'est pas Valérie.

**pluriel**   Ce sont mes copains.
Ce ne sont pas mes copains.

 **Attention !** À l'oral et dans la langue familière, on peut dire :

« C'est pas Valérie. » à la place de
« Ce n'est pas Valérie. »

« C'est mes copains. » à la place de
« Ce sont mes copains. »

# Les adjectifs démonstratifs

|  | **masculin** | **féminin** |
|---|---|---|
| **singulier** | ce marché<br>cet hôpital | cette banque<br>cette église |
| **pluriel** | ces magasins<br>ces hôtels | ces gares<br>ces écoles |

 **Attention !**

On utilise cet avec les mots masculins qui commencent par une voyelle ou par un « h » muet.

# Les pronoms personnels

| Sujets | COD | COI | Toniques |
|---|---|---|---|
| Je parle.<br>Tu parles.<br>Il parle.<br>Elle parle.<br>Nous parlons.<br>Vous parlez.<br>Ils parlent.<br>Elles parlent. | Il me regarde.<br>Je te regarde.<br>Vous le regardez.<br>Elle la regarde.<br>Il nous regarde.<br>Elles vous regardent.<br>Tu les regardes.<br>Nous les regardons. | Elle me téléphone.<br>Je te téléphone.<br>Tu lui téléphones.<br>Je lui téléphone.<br>Elle nous téléphone.<br>Je vous téléphone.<br>Tu leur téléphone.<br>Il leur téléphone. | Moi, je suis content(e).<br>Toi, tu es content(e).<br>Lui, il est content.<br>Elle, elle est contente.<br>Nous, nous sommes content(e)s.<br>Vous, vous êtes content(e)(s).<br>Eux, ils sont contents.<br>Elles, elles sont contentes. |

**N'oublie pas !**

On chante. = Nous chantons.
On frappe à la porte. = Quelqu'un frappe à la porte.

▶ **Les pronoms personnels sujets.**
Ils sont obligatoires devant tous les verbes conjugués (sauf à l'impératif).

Tu ouvres la porte.
Ouvre la porte !

Tu prends la laisse… Prends la laisse.

▶ **Les pronoms toniques.**

◆ Ils renforcent un pronom sujet.
Moi, je m'appelle Sarah et lui, il s'appelle Lann.

◆ Ils s'emploient avec le présentatif *c'est*.
● C'est Jacques ?
■ Oui, c'est lui.

◆ Ils s'emploient après une préposition.
Tu viens chez moi.
Je veux aller au cinéma avec eux.

Tu viens chez moi ?

▶ **Les pronoms compléments d'objet direct.**
Ils permettent d'éviter de répéter le nom (ou groupe de mots) complément d'objet direct.

● Tu prends le bus ? ■ Oui, je le prends.
● Tu connais ma sœur ? ■ Non, je ne la connais pas.

Hier, j'ai vu le dernier film de Harry Potter.

Ah oui… tu l'as vu ?

▶ **Les pronoms compléments d'objet indirect.**
Ils remplacent le ou les destinataires d'une action.

Je lui achèterai des fleurs (à Julie).
Je leur ai envoyé un mail (à mes cousins).

Je lui ai acheté des fleurs.

# Les pronoms *en* et *y*

## Le pronom *en*

◆ Il remplace un COD précédé d'un article indéfini ou d'un partitif.

- Ils ont des amis ici ? ■ Oui, ils en ont.
- Tu as une calculette ? ■ Oui, j'en ai une.
- Vous voulez de la confiture ? ■ Oui, j'en veux un peu.
- Ils mangent du chocolat ? ■ Oui, ils en mangent.
- Il a de l'argent ? ■ Non, il n'en a pas.

◆ Il remplace le lieu d'où l'on vient.

- Il vient de la piscine ? ■ Oui, il en vient.

## Le pronom *y*

◆ Il remplace le lieu où l'on va ou où l'on est.

- Il va au marché ? ■ Oui, il y va.
- Elle est chez elle en ce moment ? ■ Oui, elle y est.

# Place des pronoms personnels dans la phrase

## Avec un temps simple

Lui, je le connais, c'est mon voisin mais elle,
je ne la connais pas, je ne sais pas qui c'est.
Vous leur téléphonerez ou vous ne leur téléphonerez pas ?

## À l'impératif

| | |
|---|---|
| Prends-le ! | Ne le prends pas ! |
| Écris-leur ! | Ne leur écris pas ! |
| Écoute-la ! | Ne l'écoute pas ! |

## Avec un temps composé

- Tu es allé à Paris ?
- Oui, j'y suis allé l'année dernière.

- Tu as pris le TGV ?
- Non, je ne l'ai pas pris, j'ai pris l'avion.

- Tu as visité le Louvre ?
- Oui, je l'ai visité trois fois.

- En France, tu as mangé des escargots ?
- Non, je n'en ai pas mangé.

## Les adjectifs possessifs

### Un possesseur

|  | masculin-singulier | féminin-singulier | masculin et féminin-pluriel |
|---|---|---|---|
| je | mon sac | ma trousse | mes copains |
| tu | ton livre | ta calculette | tes amis |
| il / elle | son cahier | sa gomme / son école | ses parents |

**Attention !**

**On utilise les possessifs masculins devant les mots féminins qui commencent par une voyelle ou par un « h » muet.**

Son amie est très gentille.
Ton histoire est incroyable.

### Plusieurs possesseurs

|  | masculin-singulier | féminin-singulier | masculin et féminin-pluriel |
|---|---|---|---|
| nous | notre sac | notre trousse | nos copains |
| vous | votre livre | votre calculette | vos amies |
| ils / elles | leur cahier | leur gomme | leurs parents |

**N'oublie pas !**

**Pour bien utiliser les adjectifs possessifs, il faut savoir qui est le possesseur.**

| je | mon, ma, mes | nous | notre, nos |
|---|---|---|---|
| tu | ton, ta, tes | vous | votre, vos |
| il / elle | son, sa, ses | ils / elles | leur, leurs |

Elle adore ⟨ son perroquet.
ses perroquets.

Ils adorent ⟨ leur perroquet.
leurs perroquets.

## La forme affirmative et la forme négative

### Indéfinis et partitifs

- Il a une sœur ? ■ Non, il n'a pas de sœur.
- Elle a un frère ? ■ Non, elle n'a pas de frère.
- Vous avez des animaux ? ■ Non, on n'a pas d'animaux.
- Tu as du chocolat ? ■ Non, je n'ai pas de chocolat.

### Contraires

Tu veux quelque chose ? ≠ Tu ne veux rien ?
Elle connaît quelqu'un ici. ≠ Elle ne connaît personne ici.
Il va toujours au gymnase. ≠ Il ne va jamais au gymnase.
Elle aime le sport et moi aussi ! ≠ Elle n'aime pas le sport et moi non plus.

**Attention !** Avec *c'est* et *ce sont*, les articles ne changent pas à la forme négative.

C'est du pain. / Ce n'est pas du pain.
Ce sont des enfants. / Ce ne sont pas des enfants.

# Le masculin et le féminin des professions

## Terminaisons différentes à l'oral et à l'écrit

| masculin | féminin | masculin | féminin | masculin | féminin |
|---|---|---|---|---|---|
| **masculin + -e** | | ***-teur / -trice*** | | ***-eur / -euse*** | |
| un avocat | une avocate | un acteur | une actrice | un danseur | une danseuse |
| un commerçant | une commerçante | un traducteur | une traductrice | un coiffeur | une coiffeuse |
| un assistant | une assistante | | | | |
| un marchand | une marchande | | | | |
| un employé | une employée | masculin | féminin | masculin | féminin |
| un commercial | une commerciale | ***-er / -ère*** | | ***-ien / -ienne*** | |
| | | un boulanger | une boulangère | un musicien | une musicienne |
| | | un boucher | une bouchère | un pharmacien | une pharmacienne |

## Terminaisons identiques à l'oral et à l'écrit

| masculin | féminin |
|---|---|
| un journaliste | une journaliste |
| un pianiste | une pianiste |
| un secrétaire | une secrétaire |
| un cinéaste | une cinéaste |
| un artiste | une artiste |
| un chimiste | une chimiste |

**Attention !**

Certains noms de professions n'ont pas de féminin.
professeur – juge – ingénieur – écrivain – médecin...
Aujourd'hui, la tendance est de leur donner une forme au féminin.
Ma prof d'anglais. (familier)
Elle est l'auteure de ce livre. (Canada)

# Comparatifs et superlatifs

| ▶ Ils portent sur : | COMPARATIFS | SUPERLATIFS |
|---|---|---|
| ◆ UN VERBE |  Tu travailles plus que moi ? moins autant | Qui travaille le plus ? |
| ◆ UN ADVERBE | Tu marches plus vite que moi ? moins vite aussi vite | Qui marche le plus vite ? |
| ◆ UN ADJECTIF | Il est plus beau que moi ? moins beau aussi beau | Qui est le plus beau ? |
| ◆ UN NOM |  Elle a plus de dents que lui ? moins de dents autant de dents | Qui a le plus de chance ? |

  **Attention !** Le comparatif de bon est meilleur. Le superlatif : le meilleur.
Qui est le meilleur ou la meilleure en dessin ?

# CONJUGAISONS

## AUXILIAIRES | 1er GROUPE : -ER | 2e GROUPE : -IR

### avoir

| PRÉSENT | FUTUR | PASSÉ COMPOSÉ |
|---|---|---|
| j' ai | j' aurai | j' ai eu |
| tu as | tu auras | tu as eu |
| il/elle/on a | il/elle/on aura | il/elle/on a eu |
| nous avons | nous aurons | nous avons eu |
| vous avez | vous aurez | vous avez eu |
| ils/elles ont | ils/elles auront | ils/elles ont eu |

### être

| PRÉSENT | FUTUR | PASSÉ COMPOSÉ |
|---|---|---|
| je suis | je serai | j' ai été |
| tu es | tu seras | tu as été |
| il/elle/on est | il/elle/on sera | il/elle/on a été |
| nous sommes | nous serons | nous avons été |
| vous êtes | vous serez | vous avez été |
| ils/elles sont | ils/elles seront | ils/elles ont été |

### parler

| PRÉSENT | FUTUR | PASSÉ COMPOSÉ |
|---|---|---|
| je parle | je parlerai | j'ai parlé |
| tu parles | tu parleras | tu as parlé |
| il/elle/on parle | il/elle/on parlera | il/elle/on a parlé |
| nous parlons | nous parlerons | nous avons parlé |
| vous parlez | vous parlerez | vous avez parlé |
| ils/elles parlent | ils/elles parleront | ils/elles ont parlé |

### acheter

| PRÉSENT | FUTUR | PASSÉ COMPOSÉ |
|---|---|---|
| j' achète | j' achèterai | j' ai acheté |
| tu achètes | tu achèteras | tu as acheté |
| il/elle/on achète | il/elle/on achètera | il/elle/on a acheté |
| nous achetons | nous achèterons | nous avons acheté |
| vous achetez | vous achèterez | vous avez acheté |
| ils/elles achètent | ils/elles achèteront | ils/elles ont acheté |

### finir

| PRÉSENT | FUTUR | PASSÉ COMPOSÉ |
|---|---|---|
| je finis | je finirai | j' ai fini |
| tu finis | tu finiras | tu as fini |
| il/elle/on finit | il/elle/on finira | il/elle/on a fini |
| nous finissons | nous finirons | nous avons fini |
| vous finissez | vous finirez | vous avez fini |
| ils/elles finissent | ils/elles finiront | ils/elles ont fini |

### grandir

| PRÉSENT | FUTUR | PASSÉ COMPOSÉ |
|---|---|---|
| je grandis | je grandirai | j' ai grandi |
| tu grandis | tu grandiras | tu as grandi |
| il/elle/on grandit | il/elle/on grandira | il/elle/on a grandi |
| nous grandissons | nous grandirons | nous avons grandi |
| vous grandissez | vous grandirez | vous avez grandi |
| ils/elles grandissent | ils/elles grandiront | ils/elles ont grandi |

## 3e GROUPE : -IR, -RE

### offrir

| PRÉSENT | FUTUR | PASSÉ COMPOSÉ |
|---|---|---|
| j' offre | j' offrirai | j' ai offert |
| tu offres | tu offriras | tu as offert |
| il/elle/on offre | il/elle/on offrira | il/elle/on a offert |
| nous offrons | nous offrirons | nous avons offert |
| vous offrez | vous offrirez | vous avez offert |
| ils/elles offrent | ils/elles offriront | ils/elles ont offert |

### partir

| PRÉSENT | FUTUR | PASSÉ COMPOSÉ |
|---|---|---|
| je pars | je partirai | je suis parti(e) |
| tu pars | tu partiras | tu es parti(e) |
| il/elle/on part | il/elle/on partira | il/elle/on est parti(e)(s) |
| nous partons | nous partirons | nous sommes parti(e)s |
| vous partez | vous partirez | vous êtes parti(e)(s) |
| ils/elles partent | ils/elles partiront | ils/elles sont parti(e)s |

### venir

| PRÉSENT | FUTUR | PASSÉ COMPOSÉ |
|---|---|---|
| je viens | je viendrai | je suis venu(e) |
| tu viens | tu viendras | tu es venu(e) |
| il/elle/on vient | il/elle/on viendra | il/elle/on est venu(e)(s) |
| nous venons | nous viendrons | nous sommes venu(e)s |
| vous venez | vous viendrez | vous êtes venu(e)(s) |
| ils/elles viennent | ils/elles viendront | ils/elles sont venu(e)s |

### prendre

| PRÉSENT | FUTUR | PASSÉ COMPOSÉ |
|---|---|---|
| je prends | je prendrai | j' ai pris |
| tu prends | tu prendras | tu as pris |
| il/elle/on prend | il/elle/on prendra | il/elle/on a pris |
| nous prenons | nous prendrons | nous avons pris |
| vous prenez | vous prendrez | vous avez pris |
| ils/elles prennent | ils/elles prendront | ils/elles ont pris |

### dire

| PRÉSENT | FUTUR | PASSÉ COMPOSÉ |
|---|---|---|
| je dis | je dirai | j' ai dit |
| tu dis | tu diras | tu as dit |
| il/elle/on dit | il/elle/on dira | il/elle/on a dit |
| nous disons | nous dirons | nous avons dit |
| vous dites | vous direz | vous avez dit |
| ils/elles disent | ils/elles diront | ils/elles ont dit |

### lire

| PRÉSENT | FUTUR | PASSÉ COMPOSÉ |
|---|---|---|
| je lis | je lirai | j' ai lu |
| tu lis | tu liras | tu as lu |
| il/elle/on lit | il/elle/on lira | il/elle/on a lu |
| nous lisons | nous lirons | nous avons lu |
| vous lisez | vous lirez | vous avez lu |
| ils/elles lisent | ils/elles liront | ils/elles ont lu |

## 3ᵉ GROUPE : -OIR, -OIRE

| | savoir | | pouvoir | | vouloir | | devoir | | croire | | boire | |
|---|---|---|---|---|---|---|---|---|---|---|---|---|
| **PRÉSENT** | je | sais | je | peux | je | veux | je | dois | je | crois | je | bois |
| | tu | sais | tu | peux | tu | veux | tu | dois | tu | crois | tu | bois |
| | il/elle/on | sait | il/elle/on | peut | il/elle/on | veut | il/elle/on | doit | il/elle/on | croit | il/elle/on | boit |
| | nous | savons | nous | pouvons | nous | voulons | nous | devons | nous | croyons | nous | buvons |
| | vous | savez | vous | pouvez | vous | voulez | vous | devez | vous | croyez | vous | buvez |
| | ils/elles | savent | ils/elles | peuvent | ils/elles | veulent | ils/elles | doivent | ils/elles | croient | ils/elles | boivent |
| **FUTUR** | je | saurai | je | pourrai | je | voudrai | je | devrai | je | croirai | je | boirai |
| | tu | sauras | tu | pourras | tu | voudras | tu | devras | tu | croiras | tu | boiras |
| | il/elle/on | saura | il/elle/on | pourra | il/elle/on | voudra | il/elle/on | devra | il/elle/on | croira | il/elle/on | boira |
| | nous | saurons | nous | pourrons | nous | voudrons | nous | devrons | nous | croirons | nous | boirons |
| | vous | saurez | vous | pourrez | vous | voudrez | vous | devrez | vous | croirez | vous | boirez |
| | ils/elles | sauront | ils/elles | pourront | ils/elles | voudront | ils/elles | devront | ils/elles | croiront | ils/elles | boiront |
| **PASSÉ COMPOSÉ** | j' | ai su | j' | ai pu | j' | ai voulu | j' | ai dû | j' | ai cru | j' | ai bu |
| | tu | as su | tu | as pu | tu | as voulu | tu | as dû | tu | as cru | tu | as bu |
| | il/elle/on | a su | il/elle/on | a pu | il/elle/on | a voulu | il/elle/on | a dû | il/elle/on | a cru | il/elle/on | a bu |
| | nous | avons su | nous | avons pu | nous | avons voulu | nous | avons dû | nous | avons cru | nous | avons bu |
| | vous | avez su | vous | avez pu | vous | avez voulu | vous | avez dû | vous | avez cru | vous | avez bu |
| | ils/elles | ont su | ils/elles | ont pu | ils/elles | ont voulu | ils/elles | ont dû | ils/elles | ont cru | ils/elles | ont bu |

## FORME NÉGATIVE DU PASSÉ COMPOSÉ

| | | | | | |
|---|---|---|---|---|---|
| je | n'ai pas acheté | je | ne suis pas allé(e) | je | ne me suis pas promené(e) |
| tu | n'as pas acheté | tu | n'es pas allé(e) | tu | ne t'es pas promené(e) |
| il/elle | n'a pas acheté | il/elle | n'est pas allé(e) | il/elle | ne s'est pas promené(e) |
| on | n'a pas acheté | on | n'est pas allé(e)s | on | ne s'est pas promené(e)s |
| nous | n'avons pas acheté | nous | ne sommes pas allé(e)s | nous | ne nous sommes pas promené(e)s |
| vous | n'avez pas acheté | vous | n'êtes pas allé(e)(s) | vous | ne vous êtes pas promené(e)(s) |
| ils/elles | n'ont pas acheté | ils/elles | ne sont pas allé(e)s | ils/elles | ne se sont pas promené(e)s |

## IMPÉRATIF

| | |
|---|---|
| Regarde ! | Ne regarde pas ! |
| Regardons ! | Ne regardons pas ! |
| Regardez ! | Ne regardez pas ! |

# TRANSCRIPTIONS

On trouvera ici la transcription des enregistrements dont le texte ne figure pas dans les leçons, excepté celle des tableaux grammaticaux et des tests, qui se trouvent dans le Livre du professeur.

## MODULE 1

**Vive le temps libre ! Page 10. Activité 1.**

1) -Qu'est-ce que tu fais après l'école ? Tu fais des activités ?
   -Oui, je fais de la danse.
   -Et tu aimes la danse ?
   -Oh oui... beaucoup... Je veux être danseuse.

2) -Est-ce que tu fais des activités après les cours ?
   -Oui. Le lundi je vais à un centre de rattrapage.
   -Un centre de rattrapage ?
   -Oui. On apprend des techniques d'étude, on fait des schémas, des résumés...
   -Et c'est utile pour toi ?
   -Pour l'instant, oui.

3) -D'habitude, qu'est-ce que tu fais après le collège ?
   -Rien de spécial, je bavarde un peu à la sortie, puis je rentre à la maison.
   -Et après ?
   -Je goûte... je me repose un peu... je regarde la télé ou je joue aux jeux vidéo.
   -Et tu n'as pas de devoirs ?
   -Non, pas beaucoup en réalité.

4) -Tu fais des activités en dehors de l'école ?
   -Non, rien. Bon... je garde ma petite sœur.

5) -Vous faites des activités après l'école ?
   -Oui. Moi, je fais de la guitare.
   -Et toi ?
   -Moi, je fais du football, je joue dans l'équipe de mon collège...
   -Et toi ?
   -Moi aussi, je fais du foot ; on est dans la même équipe.
   -Ouais !!! on est les meilleurs !

**Tous différents. Page 11. Activité 4.**

1) Moi, j'adore le basket, et toi ? **BIP**
2) Je fais de la musique, et toi ? **BIP**
3) Elle ne fait pas de judo, et toi ? **BIP**
4) Je déteste faire du sport, et toi ? **BIP**
5) Il n'aime pas beaucoup lire, et toi ? **BIP**
6) Je ne fais pas d'activités en dehors du collège, et toi ? **BIP**
7) Je ne supporte pas de rester le dimanche après-midi à la maison, et toi ? **BIP**
8) Elles passent des heures et des heures devant la télé, et toi ? **BIP**
9) Les week-ends, d'habitude, je vais à la campagne, et toi ? **BIP**
10) Ma passion, c'est le foot, et toi ? **BIP**

## MODULE 2

**Ici « Radio Frisson ». Page 16. Activité 1.**

Bonsoir, voici l'heure de « Radio Frisson », l'émission de radio qui va te donner des frissons...
Ce soir, nous avons sélectionné « Minuit », de Suzanne Garcia. Suzanne a 15 ans et elle habite à Montélimar.
Est-ce que « Minuit » sera notre texte « Frisson » ?
Pour vous permettre de voter, nous rappelons notre numéro de téléphone : 01 42 57 60 28. Nous attendons vos appels !

Et maintenant, ouvrez bien vos oreilles et préparez-vous à frissonner...

**Page 16. Activité 4.**

1) J'ai faim. **BIP**
2) J'ai soif. **BIP**
3) J'ai sommeil. **BIP**
4) J'ai froid. **BIP**
5) J'ai chaud. **BIP**
6) J'ai de la fièvre. **BIP**
7) Je suis fatigué. **BIP**
8) Je suis très contente. **BIP**
9) Je suis triste. **BIP**

**Parcours accidenté. Page 17.**
**Club chanson : Très occupée !!!**

Le matin, il faut travailler
L'après-midi, il faut étudier
Mais le soir, moi, j'aime danser
La danse pour moi, c'est la liberté

Le samedi, je prends ma raquette
Le tennis, pour moi c'est la fête
J'ai envie de sauter et de crier
Pour moi, le sport, c'est la santé

Je ne sais pas si vous le savez
Je suis une fille très occupée
Le travail, la danse, le sport
Les études et puis quoi encore ?
Je n'ai pas une minute à moi
C'est comme ça et puis voilà !!!

## MODULE 3

**Une soirée chez Natacha. Page 28. Activité 2.**

1) -Alors, quand est-ce qu'on peut se voir ? Vendredi
   prochain, peut-être ?
   -Oh ! Je suis désolé, la semaine prochaine je serai
   à Tokyo.
   -À Tokyo ???
   -Oui, je fais un défilé pour Kenzo…

2) -Quel match, samedi ! quel match ! Félicitations,
   vous avez été fa-bu-leux !!!
   -Merci, merci… vous êtes trop gentil.
   -À la maison, nous avons couru avec vous, nous
   avons sauté, nous avons crié…
   -Alors, vous vous êtes plus fatigués que moi.
   -Oh là là !!!

3) -Ce soir, quand je suis arrivé, il y avait 2 types
   cachés derrière un arbre…
   -Oh là là ! Ne m'en parle pas !!! C'est sûrement
   les 2 paparazzis qui n'arrêtent pas de me suivre.
   C'est infernal !!!
   -Ben, écoute, c'est normal… Quand on est une
   star…

4) -Tu sais, la semaine prochaine, je vais partir pour
   l'Amazonie.
   -Oh… quelle chance !!! Et qu'est-ce que tu vas
   faire là-bas ?
   -Un documentaire sur les crocodiles.
   -Mais, en Amazonie, il y a des crocodiles ou des
   caïmans ?
   -Euh…

5) -J'ai lu votre dernier article. Il est vraiment très,
   très profond.
   -Ah… vous avez aimé ?
   -Aimé ??? A-do-ré. J'ai adoré.

**À l'école, ça bouge ! Page 31. Activité 3.**

-Comment s'appelle votre collège ?
-C'est le Collège Marcel Pagnol.
-Quel est votre projet ?
-Nous avons réalisé un projet de correspondance avec
 des élèves espagnols qui habitent près de Barcelone.
-D'où est venue l'idée de ce projet ?
-C'est notre professeur d'espagnol qui a eu l'idée et
 nous avons tout de suite accepté.
-Vous êtes combien dans votre classe ?
-Nous sommes 30 élèves.
-Alors, félicitations pour vos nouveaux amis
 espagnols.
-Merci !!! Merci !!!

## MODULE 4

**Ton look au collège. Page 39. Activité 4.**

1) Tu aimes les couleurs pastel ? **BIP**
2) Et les couleurs fluorescentes ? **BIP**
3) Tu parles le japonais ? **BIP**
4) Tu portes des lunettes ? **BIP**
5) Tu regardes souvent la télé ? **BIP**
6) Tu détestes le foot ? **BIP**
7) Tu as ton sac de gym ici ? **BIP**
8) Tu as des amis étrangers ? **BIP**
9) Tu fais ton lit ? **BIP**
10) Tu portes une casquette en été ? **BIP**

**Le scooter à 14 ans. Page 41. Activité 6.**

1) Il est toujours content. **BIP**
2) Elle est toujours de bonne humeur. **BIP**
3) Il comprend tout. **BIP**
4) Elle sait tout. **BIP**
5) Elle connaît tout le monde. **BIP**
6) Il écoute tout le monde. **BIP**
7) Il aime beaucoup la natation. **BIP**
8) Elle mange beaucoup. **BIP**

# TRANSCRIPTIONS

## MODULE 5

### Aujourd'hui, on fait des courses. Page 48. Activité 1.

1) Dans la vitrine de la boulangerie Le Blanc, aujourd'hui il y a du pain complet, des croissants, une tarte aux pommes, un gâteau au chocolat, des baguettes…

2) Dans le magasin de fruits et légumes, on vend des carottes, des oignons, des tomates, des pommes de terre, des bananes…

3) Dans une charcuterie, on peut acheter des saucisses, du saucisson, du foie-gras, du pâté…

4) À la boucherie de Marcel Leveau, vous trouverez des produits excellents comme, par exemple : de la viande de veau ou de bœuf, des côtelettes d'agneau, du rôti, des biftecks… et même du salami !

5) Chez Momo, l'épicier, on peut trouver un peu de tout : de l'huile d'olive, de l'eau minérale, des boîtes de conserve, des pâtes, du riz, des fruits…

6) À la crémerie, on vend des œufs et des produits laitiers : des yaourts nature ou écrémés, du lait, du beurre, de la crème fraîche…

### Page 48. Activité 2.

1) Je voudrais 100 g de saucisson et 4 tranches de jambon, s'il vous plaît.

2) Mme Duval, vous n'avez plus de petits pains au chocolat ?

3) Vous voulez des yaourts nature ou écrémés ?

4) Combien coûtent ces pommes, s'il vous plaît ?

5) Je voudrais 3 blancs de poulet, s'il vous plaît.

6) Tenez, monsieur Laffont, voilà vos mandarines et vos pommes. Pour vous, ce sera 5 €.

7) Marcel, c'est combien le kilo de rôti, aujourd'hui ?

8) Madame, combien vous en voulez ? une demi-douzaine ou une douzaine ?

### Page 48. Activité 3.

1) Une boîte de sardines. **BIP**
2) Du pain de campagne et une baguette. **BIP**
3) Des carottes. **BIP**
4) Trois biftecks. **BIP**
5) Des bonbons à la menthe. **BIP**
6) Un camembert et trois bricks de lait. **BIP**
7) Un gâteau à la crème. **BIP**
8) Des aspirines. **BIP**
9) Des saucisses. **BIP**
10) Une demi-douzaine d'œufs. **BIP**

### En ville. Page 50. Activité 1.

l'église ; le musée ; la bibliothèque ; le gymnase ; le marché ; l'hôpital ; la poste ; la banque ; l'office de tourisme ; les grands magasins ; la gare ; l'hôtel

### Page 50. Activité 3.

-Excusez-moi madame, pourriez-vous me dire où se trouve la rue Beaumarchais ?

-Comment ? Pardon ? Qu'est-ce que vous dites ?

-Euh… Euh… pour aller à la rue Beaumarchais, s'il vous plaît ?

-Le marché ? Eh bien…

-Non, non, la rue Beaumarchais !!! Où se trouve la rue Beaumarchais ?

-Ah ?? La rue Boharnay ? Je suis désolée, jeune homme, je ne suis pas d'ici.

## MODULE 6

### Au restaurant. Page 57. Activité 4.

-Bonjour, messieurs-dames. Vous avez choisi ? **BIP**

-Alors, comme entrée, qu'est-ce que vous allez prendre ? **BIP**

-D'accord, très bien. Et ensuite, comme viande ou comme poisson ? **BIP**

-D'accord. Comme dessert, qu'est-ce que vous voulez ? **BIP**

-Et comme boisson, vous désirez de l'eau ? du vin ? **BIP**

-Très bien. Je reviens tout de suite.

### Ils sont tous suspects ! Page 59. Activité 6.

1) Il écrit à ses parents ? Oui. **BIP**
2) Elle envoie un mail à Sarah ? Non. **BIP**
3) Vous téléphonez à M. Lebrun ? Oui. **BIP**
4) Tu réponds à Josie ? Non. **BIP**
5) Elle parle à son chien ? Oui. **BIP**
6) Tu racontes des histoires aux enfants ? Oui. **BIP**
7) Elle dit au revoir à ses grands-parents ? Non. **BIP**
8) Nous demandons l'heure à un touriste ? Oui. **BIP**

## FRANCE PHYSIQUE

ROYAUME-UNI

BELGIQUE

ALLEMAGNE

LUXEMBOURG

SUISSE

ITALIE

ESPAGNE

ANDORRE

MANCHE

Calais
Dunkerque
Lille
Béthune
Valenciennes
Lens
Maubeuge
Douai
Amiens
Le Havre
Rouen
Reims
Thionville
Hagondange-Briey
Metz
Caen
Mantes-la-Jolie
PARIS
Nancy
Strasbourg
Brest
Troyes
MASSIF ARMORICAIN
Rennes
Le Mans
Ballon de Guebwiller 1 426
VOSGES
Mulhouse
Montbéliard
Lorient
PARISIEN
Orléans
Besançon
Dijon
Saint-Nazaire
Angers
Tours
MORVAN
Nantes
Crêt de la neige 1 718
JURA
Annecy
Poitiers
Limoges
Clermont-Ferrand
Lyon
Mt Blanc 4 808
La Rochelle
Saint-Étienne
Chambéry
Pointe de la Grande Casse 3 852
OCÉAN
Angoulême
Puy de Sancy 1 885
Grenoble
Valence
Barre des Écrins 4 102
ATLANTIQUE
MASSIF
Bordeaux
CENTRAL
Mt Pelat 3 051
ALPES
BASSIN
Avignon
Nîmes
AQUITAIN
Aix-en-Provence
Nice
Bayonne
Toulouse
Grasse-Cannes-Antibes
Pau
Montpellier
PYRÉNÊES
Marseille
Pic d'Aneto 3 304
Pic d'Estats 3 143
Toulon
Perpignan
Corse
MER MÉDITERRANÉE

Rivières: Aa, Lys, Somme, Oise, Aisne, Marne, Meuse, Moselle, Rhin, Ill, Meurthe, Seine, Risle, Orne, Eure, Vilaine, Mayenne, Sarthe, Huisne, Loir, Loire, Yonne, Serein, Armançon, Aube, Saône, Ognon, Doubs, Indre, Cher, Creuse, Vienne, Allier, Loing, Arroux, Charente, Vézère, Isle, Dordogne, Lot, Truyère, Aveyron, Tarn, Cévennes, Gard, Ardèche, Rhône, Isère, Drôme, Arc, Diois, Verdon, Var, Durance, Argens, Adour, Baïse, Gers, Arrats, Save, Garonne, Ariège, Orb, Hérault, Agout, Aude, Têt, Golo, Gravona, Taravo

### Population des villes :
- plus de 2 000 000 hab.
- de 800 000 à 2 000 000 hab.
- de 300 000 à 800 000 hab.
- de 150 000 à 300 000 hab.
- de 100 000 à 150 000 hab.

PARIS | capitale d'État
— limite d'État

0 200 500 1 000 1 500 m

100 km

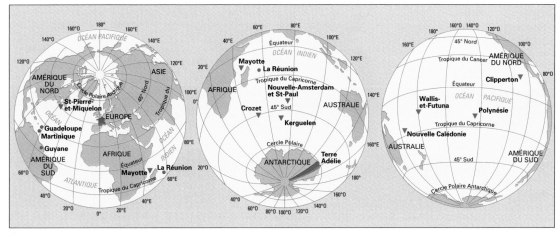

OCÉAN PACIFIQUE
AMÉRIQUE DU NORD
ASIE
Cercle Polaire Arctique
EUROPE
Tropique du Cancer
St-Pierre-et-Miquelon
OCÉAN ATLANTIQUE
OCÉAN INDIEN
Guadeloupe
Martinique
Guyane
AMÉRIQUE DU SUD
AFRIQUE
Équateur
Mayotte
La Réunion
Tropique du Capricorne

Équateur
OCÉAN INDIEN
AFRIQUE
Mayotte
La Réunion
Tropique du Capricorne
Nouvelle-Amsterdam et St-Paul
AUSTRALIE
Crozet
Kerguelen
Cercle Polaire
ANTARCTIQUE
Terre Adélie

AMÉRIQUE DU NORD
45° Nord
Tropique du Cancer
Clipperton
Équateur
OCÉAN PACIFIQUE
Wallis-et-Futuna
Polynésie
Nouvelle Calédonie
Tropique du Capricorne
AUSTRALIE
45° Sud
AMÉRIQUE DU SUD
Cercle Polaire Antarctique

ORGANISATION
INTERNATIONALE DE
**LA FRANCOPHONIE**

LE MONDE DE LA FRANCOPHONIE

**L'Organisation internationale de la Francophonie**
est une institution fondée sur le partage d'une langue
et de valeurs communes. Elle compte à ce jour
cinquante et un Etats et gouvernements et a admis
quatre observateurs.
Elle conduit des actions dans les domaines de la politique
internationale et de la coopération multilatérale.
Elle s'appuie sur un opérateur principal,
l'Agence intergouvernementale de la Francophonie
et quatre opérateurs directs : l'Agence universitaire,
l'Université Senghor d'Alexandrie, l'Association internationale
des maires francophones et TV5. L'Assemblée parlementaire
de la Francophonie en est l'assemblée consultative.
Le Secrétaire général, clef de voûte du système institutionnel,
est chargé de la mise en œuvre de la politique internationale,
ainsi que de l'animation et de la coordination de la politique
de coopération.

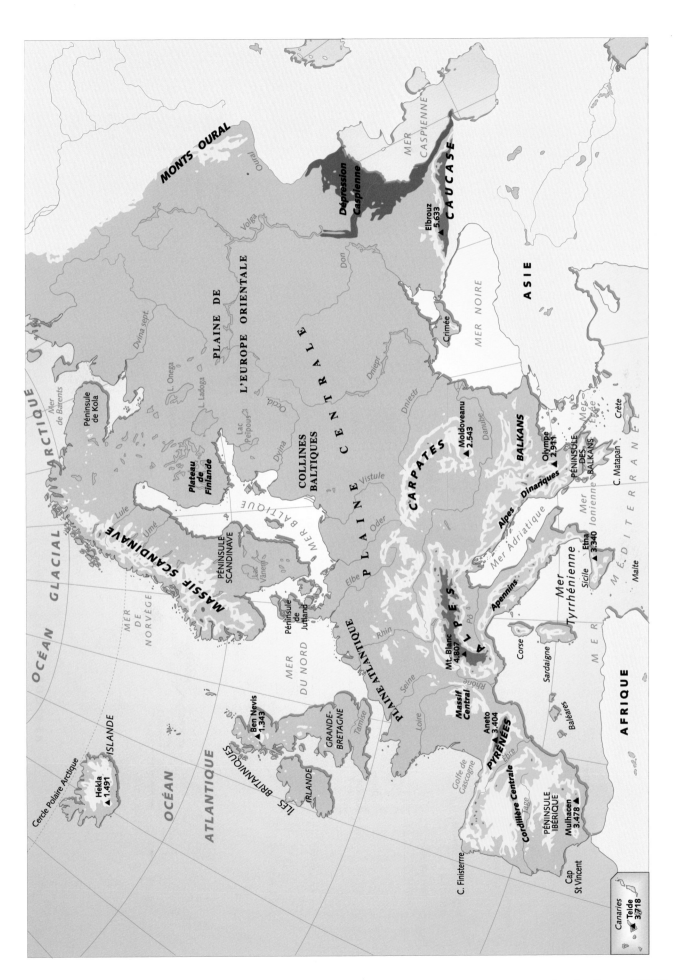

MONTS OURAL

CAUCASE

Dépression
Caspienne

MER CASPIENNE

Elbrouz
▲ 5.633

ASIE

MER NOIRE

Crimée

Volga

Oural

Don

Dniepr

Dniestr

PLAINE DE
L'EUROPE ORIENTALE

Danube

CARPATES

Moldoveanu
▲ 2.543

BALKANS

Olympe
▲ 2.911

PÉNINSULE
DES
BALKANS

C. Matapan

Crète

Mer
Égée

OCÉAN GLACIAL ARCTIQUE

Mer
de Barents

Péninsule
de Kola

L. Onega

L. Ladoga

Dvina sept.

Lac
Peipous

Dvina

COLLINES
BALTIQUES

MER BALTIQUE

Vistule

Oder

Elbe

PLAINE CENTRALE

Alpes Dinariques

Mer Adriatique

Mer
Ionienne

MÉDITERRANÉE

Plateau
de
Finlande

MASSIF SCANDINAVE

PÉNINSULE
SCANDINAVE

Lule

Umé

Lac
Vänern

MER
DE
NORVÈGE

Péninsule
de
Jutland

MER
DU NORD

PLAINE ATLANTIQUE

Rhin

Seine

A L P E S

Mt. Blanc
▲ 4.807

PO

Apennins

Mer
Tyrrhénienne

Etna
▲ 3.340

Sicile

Malte

M E R

OCÉAN

ATLANTIQUE

Ben Nevis
▲ 1.343

GRANDE-
BRETAGNE

ÎLES BRITANNIQUES

IRLANDE

Tamise

Loire

Massif
Central

Rhône

Aneto
▲ 3.404

PYRÉNÉES

Ebre

Cordillère Centrale

PÉNINSULE
IBÉRIQUE

Mulhacen
▲ 3.478

Corse

Sardaigne

Baléares

AFRIQUE

Cercle Polaire Arctique

Hekla
▲ 1.491

ISLANDE

Golfe de
Gascogne

Tage

C. Finisterre

Cap
St Vincent

Canaries

Telde
▲ 3.718

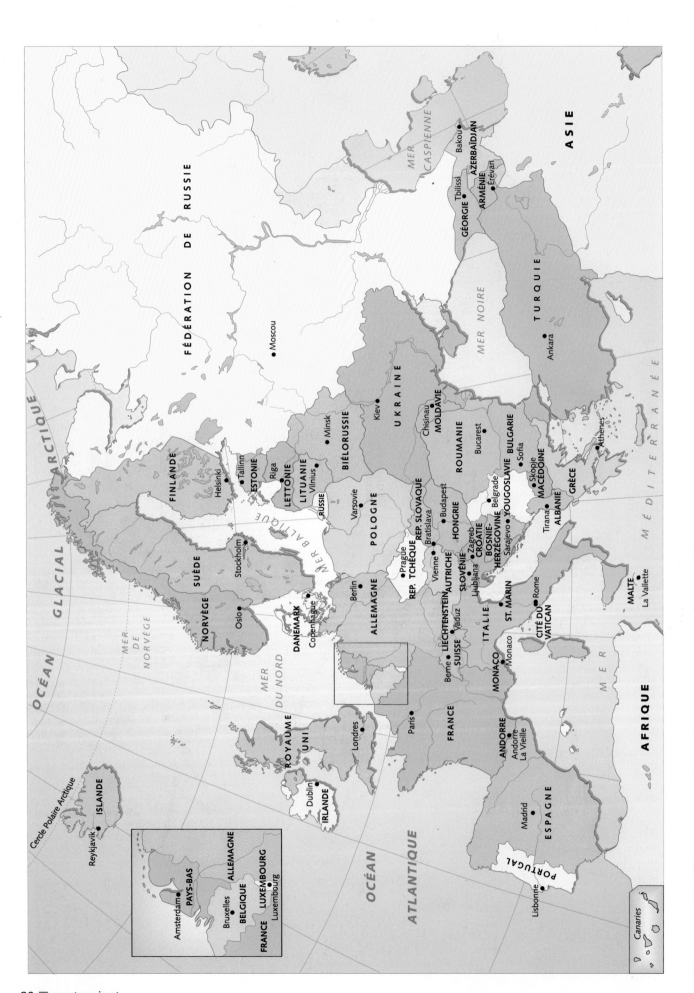

OCÉAN GLACIAL ARCTIQUE

FÉDÉRATION DE RUSSIE

Moscou

ASIE

MER CASPIENNE

Bakou AZERBAÏDJAN
GÉORGIE Tbilissi ARMÉNIE
Erévan

TURQUIE

Ankara

MER NOIRE

FINLANDE
Helsinki

ESTONIE Tallinn
Riga LETTONIE
LITUANIE Vilnius
RUSSIE

BIÉLORUSSIE
Minsk

Kiev UKRAINE

SUÈDE
Stockholm

MER BALTIQUE

POLOGNE
Varsovie

Chisinau MOLDAVIE

ROUMANIE
Bucarest

BULGARIE
Sofia

Athènes
GRÈCE

MÉDITERRANÉE

NORVÈGE
Oslo

MER DE NORVÈGE

DANEMARK
Copenhague

Berlin
ALLEMAGNE

Prague
REP. TCHÈQUE

REP. SLOVAQUE
Bratislava
Budapest
HONGRIE

Skopje MACÉDOINE
Belgrade
YOUGOSLAVIE
Sarajevo Tirana
BOSNIE- ALBANIE
HERZÉGOVINE

ISLANDE
Reykjavik

Cercle Polaire Arctique

MER DU NORD

ROYAUME UNI
Londres

Dublin
IRLANDE

Paris

FRANCE

LIECHTENSTEIN
AUTRICHE
SUISSE Vaduz
Berne Vienne
SLOVÉNIE
Ljubljana
Zagreb
CROATIE

ITALIE
ST. MARIN
MONACO Rome
Monaco CITÉ DU
VATICAN

MALTE
La Vallette

MER

OCÉAN ATLANTIQUE

ANDORRE
Andorre
La Vieille

ESPAGNE
Madrid

PORTUGAL
Lisbonne

AFRIQUE

PAYS-BAS
Amsterdam ALLEMAGNE
Bruxelles LUXEMBOURG
BELGIQUE Luxembourg
FRANCE LUXEMBOURG

Canaries